＼自分の日常が仕事になる／

ゼロから始める SNS副業

株式会社シングル　代表取締役　河田美帆 (miho kawada)

SOGO HOREI PUBLISHING CO., LTD

はじめに

誰でも、いつでも、どこでもできるSNS副業

SNSを使ってお金を稼ぐ、SNS副業。

場所や時間、人間関係に縛られることなく、スマホ1台あれば始めることができるため、新型コロナウイルス感染症の流行をきっかけに大きく注目されるようになりました。

しかし、

「どうやって始めたらいいのか分からない」
「副業をやる時間も気力もない」
「始めてみたいけど、自分には知名度がないから」

など、さまざまな疑問や不安があって、やってみたくてもチャレンジできない方も多いのではないでしょうか。

また、すでにSNS副業に興味がある人は、

「SNSを仕事にしている人はどうやって稼いでいるの？」
「自分にもできる？」
「収入はどれくらいになるの？」

など、一度は疑問を持ったことがあるでしょう。

本書では、

「今の会社勤めのままでは、収入が不安」
「月に3万円でもいいから、収入を増やしたい」

という収入面での悩みを抱える人はもちろん、

「子どもがまだ小さくて、仕事に使える時間がない」
「毎日忙しくて、もうへとへと……」

という時間や気力が追いついていない人に向けて、**SNSを使った仕事の始め方、収入の一例だけでなく、SNSをきちんと仕事にする方法、忙しくても挫折しない方法などをまとめています。**

ぜひ、参考にしてみてください。

河田美帆

contents

第2章
忙しいママに向いている仕事

第3章

SNS運用がお金につながる成功マインド

第4章
インスタを伸ばすために学んでおきたいテクニック講座

第5章

実際にSNSで収入を得るための具体的なステップ

STAFF
DTP：横内俊彦
装丁：木村勉
本文デザイン：別府拓（Q.design）
カバー・本文イラスト：クリモト（kikii）
校正：新沼文江
編集：市川純矢

本書の内容は、2023年12月1日時点の情報をもとに構成されています。

最初に知って
おきたいこと

大切なのはテクニックより マインドセット

本書を手にとっていただきありがとうございます。
株式会社シングル代表取締役の河田美帆と申します。

「もっと多くのママが、かけがえのないお子さんとの時間を大切に、自宅にいながら心から好きなことを仕事にして社会的に活躍し、誰にも依存せず自立できる経済力を身につけてほしい」

という想いのもと、SNS運用を教える講座や「好き」を仕事にするための起業塾を運営しています。

私には、現在8歳になる息子がいます。
働きながら子どもを育てるというのは、時間・体力・経済面などの問題から、なかなか思うようにいかないものです。

子どもが風邪をひいたときやケガをして帰ってきたときなど、子どもに何かあったときは特に「子どもに合わせて自由に働く時間を調整できたらな……」と思ってしまいますよね。

パートやアルバイトをしていると、シフトや出勤時間、出勤場所の制約などから子どもの大切な行事に参加できないこともあります。一生に一度の貴重な機会を泣く泣く断念しなければいけないかもしれません。

そんな悲しい思いをさせないためにも、私が本書を通してお伝えしたいのは、子どもとの時間を大切にしたいと思うママこそ、SNS で仕事をすることを検討してみてほしいということです。

ハッキリ言って、**働くママが幸せになりたいのなら、SNS を使ったお仕事一択**だと、私は考えています。

ただ、**SNS で結果を残すためには、テクニックだけを身につけても成功できません**。これまでに 1,500 人以上の受講生を見てきた結果、このことを痛感しています。

そのため、本書ではよくあるテクニックだけをまとめたようなノウハウ本やハウツー本とは違い、**成功の秘訣はマインドセットにある**ということを中心にお伝えしていきます。

マインドセットさえきちんとできていれば、どんな時代でもブレない自分でいることができます。

これから先、コロナ禍のような大きな環境の変化があったとしても、自分の力で進む方向を選ぶことができるようになります。

特別な経験やスキルは必要ない

はじめにお伝えしておきたいことは、私はごく普通の家庭に生まれ、特別なコネや人脈もなく、まさに凡人といわれるような存在だったということです。

2020年8月に、何も知識がない状態から、SNSでお金を稼ぐためにSNS運用のお仕事を開始しました。

それから3年以上経った今では、SNS運用を中心に事業を多角的に展開する会社を2社経営するまでになりました。

しかし、この道のりは決してスムーズなものではなく、本当につらいことや困難な瞬間がたくさんありました。

その中で気づいたのは、**ママ＝お金がないという世の中は間違っている**ということです。

はじめに、過去のつらかった出来事を大きく4つのターニングポイントに分けて、全てお話しさせていただきます。

そのうえで本書を読み進めていただくと、**成功するためには特別な経験やスキルは必要ない**ことがよく分かると思います。

ターニングポイント①　結婚と離婚

最初のターニングポイントは、結婚と離婚です。

私は関西の有名私立大学を卒業後、新卒で大手企業に入社して京都で会社員をしていました。

そんな中、当時流行していたホットヨガに夢中になり、「どうしてもヨガインストラクターになりたい！」と魂が震えてしまい気持ちが抑えきれず、全てを投げ捨てて転職。

今思えば、この時点で企業に所属して働くことは向いていなかったのだと思います。

ヨガインストラクターに転職したタイミングで、当時の彼と結婚しました。

心から望んでいた仕事と素晴らしい人生のパートナーの両方を手に入れ、人生で最高に幸せな瞬間でした。

しかし、この幸せは長続きしませんでした。

彼の転勤で東京に引っ越しをすることになり、そして**性格の不一致から離婚に至った**のです。

このとき、ヨガインストラクターとしての収入はまだ限られており、東京で一人生活することは非常に困難でした。

東京での生活費は高額で、働いてもまとまった収入が得られず、日々節約しながら生活していました。

ターニングポイント②　２度目の結婚と離婚

そんな中、友人の紹介で出会った男性と**２度目の結婚**をしました。彼は年上でお金に余裕があったので、貧困から一気に抜け出すことができました。そして、待望の子どもも生まれ、再び心から満たされた日々を手に入れました。

しかし、２年ほどの結婚生活の後に**２度目の離婚**が現実となり、息子を育てていくと決めた私の人生は、またも困難な状況に直面しました。

それまでは「結婚は失敗だった。離婚すれば全てリセットできて、うまくいくはずだ」と考えていましたが、実際はそう甘くありませんでした。

それからのシングルマザーとしての生活は過酷で、収入が不安定な貧困生活が続きました。

このときになってやっと、「**自分が変わらなければまた同じことを繰り返す人生が待っている。このままだと息子を幸せにはできない**」と気づいたのです。

ターニングポイント③　新しい仕事への挑戦

2020年3月、新型コロナウイルス感染症の影響で外出自粛と幼稚園休園が重なり、ヨガの対面レッスンが開催できない状況に直面しました。これが私の人生で最大の試練となりました。

そして、このときに気づいたのです。
「オフラインのヨガレッスンだけでは安定した収入を得るのは難しい。**自宅からでも収入を得られるスキルが必要だ**」ということに。

この気づきから、新しい仕事に挑戦する決意をしました。このときに出合ったのが、**SNS運用代行**というお仕事です。

SNSに関する知識も経験もなかったため、思い切ってオンラインの資格講座に高額のお金を支払いました。

なぜそこで高額の自己投資ができたかというと、

1. 廃業する原因となった新型コロナウイルス感染症の影響で、オンラインの波が来ていることを痛感していた
2. SNS運用代行という仕事の需要の高さを自分自身よく分かっていた

3 得意ではないけれど好きだったInstagramを仕事にできることで、「私は絶対にここで稼げる」という根拠のない自信があった

という3つの理由があったからです。

この時点で私は無職であったため、**収入はゼロ**。

周囲からは「現実を見ろ」とか、「親としての自覚がないのか」とか、いろいろなことを言われました。

しかし、息子の将来のためにも自立しなければならなかったため、**自分の選択に迷いはありませんでした**。

現実的に考えて、今の日本で暮らしていくならお金は非常に重要なものです。

お金があればほとんどの悩み事や問題は解決でき、幸せな生活を築けるといっていいでしょう。

ヨガの仕事は大好きでしたが、**収入が不安定だったために心からの幸せを感じられなかった**のも事実です。

そこでSNS運用代行に挑戦し、勉強と努力を惜しまず取り組みました。

ターニングポイント④　SNSを仕事にした

結果、SNS運用代行を開始してわずか1カ月で初の売上1万円を達成し、2カ月後には3万円、**4カ月後には30万円の売上を達成**しました。

目標を達成した瞬間は涙があふれ、息子との時間を大切にできるようになったことに心から感謝しました。

この経験から学んだのは、**たとえ貧乏なシングルマザーでも、環境と知識と努力次第で人生は変えられる**ということ。

自分の好きなことと世の中で需要のあることをよく分析し、そこに自分の得意なことを掛け合わせれば、稼げるビジネスは構築できます。

もし得意なことが今の時点でないなら、**足りないスキルを学んで身につければいいだけ**です。

自分を信じて行動し、限界を超える覚悟で挑戦すれば、何だってできるのです。

私自身、SNSで稼ぐための特別な経験やスキルは全くありませんでしたが、今では自分の力でお金を稼ぐことができています。もし、今どのように行動すればいいか悩んでいるのであれば、きっとお役に立てるはずです。

第1章

女性が経済的に自立をするために

経済的自立によって心も体も健康になる

経済的自立は、女性にとって非常に重要だと考えています。

特にシングルマザーの方は、自分と子どもの未来のためにも、自立できる経済的な力を身につけるべきです。

お金の自由は心の自由でもあります。

経済的自立は、男性に依存しなくていい自由をもたらし、人間関係に悩むことが減り、心の平安を得られ、子どもたちにより穏やかに接することができ、体までもが健康で美しくなれるのです。

「結婚して専業主婦になりたい」とか、「玉の輿に乗れば人生は安泰」といった幻想にとらわれがちですが、経済的に**男性（夫）に依存している限り、本当の意味での心の幸福を手にすることは難しい**と私は考えています。

多くのママさんたちは、お金や時間の制約を感じているにもかかわらず、現状を変えられずに苦しんでいます。

しかし、その状況から抜け出す方法を知っている身としては、その経験や知識をこうして一冊の本にまとめることで、少しでもお役に立ちたいのです。

自由だ―!!!

毎日8時間以上ヘトヘトになるまで働いても……

序章にて、離婚後はヨガインストラクターとして生計を立てていたというお話をしましたが、そのときの収入は**月に15万円ほど**でした。

毎日8時間以上、体を使う仕事でヘトヘトになるまで働いてもこの収入です。

その当時、仕事でお迎えが遅くなると「今日は外食で済ませよう」とファミレスに寄ることもありました。

注文の品は毎回決まっていて、子ども用メニューで一番安い199円のラーメンです。

私自身はというと、非常識かもしれませんがオーダーはせず、無料のお水でお腹を紛らわすしかありませんでした。

そして帰宅後、冷凍ご飯をチンしてふりかけをかけて食べていました。それぐらいお金がなかったのです。

水だけ…
あはは…
ぐう～

男性に依存しないと女性は幸せになれない？

これは恥ずかしいので秘密にしてきたことなのですが、**お金がなかった当時、暇さえあればマッチングアプリを見ていた**時期がありました。

というのも、私に再び裕福な暮らしを与えてくれる高収入の男性を探していたのです。

マッチングアプリには年収でフィルターをかけて選べる機能があり、それで「年収1,000万円以上」のところにチェックを入れて、高収入の男性を検索していました。

「**玉の輿に乗って、今のこの苦しい生活から抜け出してやる**」と目論んでいたからです。むしろそれしか方法がないと思ってさえいたのです。

収入を増やすには、労働時間を長くするしかない？

当時の私には、収入を増やすためには、単純に労働時間を長くするしか方法が思いつきませんでした。

しかし、子どもがいるため労働時間を伸ばすことは現実的に難しく、「**今の私が収入を増やすのは物理的に無理だ**」と諦めていたのです。

「助けてくれる男性を見つけないと、この生活は楽にならないし、幸せになれない」という固定観念で生きていました。

実際には、子どもの気持ちを優先したい想いが強かったため、誰かとお付き合いまで発展することはありませんでした。しかしながら、救いを求めてかじりつくようにアプリを見ていた時期があったのは事実です。

本当の幸せは、自分で自分の人生の舵を取れること

そうしてマッチングアプリを熱心に見ていた時期もありましたが、ある時はたと気がつきました。

「こうやって年収縛りで選んだ男性と仮に再婚できたとして、またその人に経済的に依存しておんぶに抱っこになることって、本当の幸せといえるのだろうか？」「それだとまた同じことの繰り返しではないか!?」と。

本当の幸せとは、“自分で自分の人生の舵を取れること”ではないか、と思ったのです。

そのために、「**誰にも依存せず、自分だけの足で立てるようになろう**」「**私は一人で十分と自信を持って言えるまで、お金を稼げるようになろう**」と、そう心に決めました。

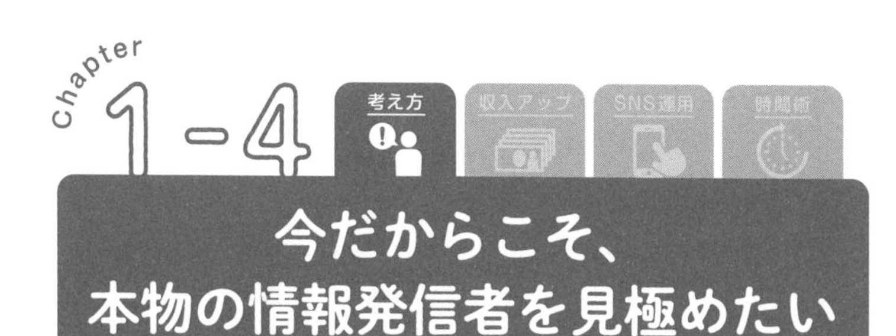

今だからこそ、本物の情報発信者を見極めたい

ヨガインストラクターの仕事を辞めてから、私がどのようにSNSのお仕事にたどり着いたかというと、**とにかく最初は知識がなさすぎたので、調べるところから始めました。**

Google、Instagram、Twitter、YouTubeなど、思いつく限りの全ての媒体を使って、ひたすら検索しました。

そんな中、Twitterで在宅起業の情報を受け取る機会があり、そこが最初の入り口となったのです。

どのSNSを見ても、同じような発信者がたくさんいる

今、「SNSを使って仕事をしよう！」という情報を発信している人がずいぶんと増えてきています。

現在、新たな情報発信者が急増し市場は飽和状態になっています。

SNSを使って仕事をしたことがない初心者の人ほど、情報を見極めるのは困難になります。

そんな状況では、始めようと思ってもかえって選択肢が増えて迷ってしまいます。

私がSNS運用を始めた2020年ごろにはまだ少なかったのですが、**今ではどのSNSを見ても同じような発信をしている人がたくさんいます**。

そんなどの情報発信者が本物か分からない中でこの本を手にとっていただき、ありがとうございます。

本書では、3年間毎日コツコツと情報発信を続け、その中で培った成功するための経験やマインドを惜しみなく書いていきます。

どうぞ安心してついてきてください。

成功するには まずマインドセットから

オンラインで起業しようとするとき、どんなスキルやノウハウを身につけるかよりも、まずはその土台となるマインドセットを身につけることを優先してください。

どれだけ良質なノウハウを手に入れたとしても、土台となるマインドがゆるゆるでは、それを生かすことはできません。

では、ママが幸せな生活をするためにはどのようなマインドが必要になるのか、それをこれからお話していきます。

貧乏にならないためのマインドセット

あなたは給料日前になると、
「**お金がないな……**」
「**もっとお金があったらな……**」
と思ってしまうことはありませんか？

実はそれ、**お金がない人がやりがちな悪習慣**です。
こうした口癖や思考の癖というのは、無意識のうちに出てしまいます。そのためなかなか気づくことはできませんが、私たちの行動に大きな影響を与えています。

貧乏な人がやりがちな悪習慣はたくさんありますが、中でも要注意なワースト3を解説していきます。

3位：時間の無駄遣い

あなたは時間とお金、どちらが大事だと思いますか？

もしかしたら、「お金！」と即答する方も多いかもしれません。実は、3年前まで私もそうでした。

スーパーを何軒もハシゴして、長い距離自転車をこいで、安売りのお肉やお野菜を買いに行っている人もいるかもしれません。そうすれば、確かに数百円くらいの節約はできるでしょう。でも、その行動は**貴重な「時間」を無駄遣いしている**ことになるのです。

もし、たった50円安い野菜のために30分かけてスーパーを何軒か移動しているなら、あなたの時給は100円以下という計算になるのが分かりますか？

そんなことをするぐらいなら、最初から買い物は1カ所でしかしないと決めて、他店より数十円高かったとしても迷わず買いましょう。

その代わりに、空いた時間を使って自分の収入につながる行動をしたほうがよっぽど賢いと思いませんか？

数十円や数百円のために自分の貴重な時間を無駄遣いしてしまう人は、いつまでも貧乏から抜け出せません。

まずは時間の無駄を見直して、お金を生み出すための時間を増やすことが、貧乏から抜け出すための第一歩です。

2位：お金の無駄遣い

「お金がないって言ってるのに、無駄遣いなんてしてるわけないでしょう！」という声が聞こえてきそうですね。

ですが、実は貧乏な人ほど無駄なものにお金を使いがちなのです。

例えば、通販サイトのセール時に、
「いつもよりも安いから」
「ポイントがついてお得だから」
と、特に必要ではないものをいくつも買ってしまったりしていないでしょうか？

実際に買い物しているときは、「こんなに安くていいものを買えるなんて、お得！」と感じるのですが、後になって考えてみると「なんでこんな服買ったんだろう……」と、ほとんど着ないでクローゼットで眠らせてしまう。

こんなお金の使い道は、冷静に考えてみると大変な無駄遣いです。

値段が安いということは、商品の質も低いということです。

3,000円のバッグを何個も買って1年以内にダメにしてしまうくらいだったら、10万円のバッグを1個買って10年使い続けるほうがずっと安上がりだし、大切に使い続けることができます。

こうした事実に気づかず、**ただ「安い」と値段だけを見て衝動買いをしてしまうのは、お金に支配されてしまっている状態です**。

副業や在宅ワークなど、何か新しいことを始めようと思ったときにも、**貧乏な人は「安いから」という理由で講座やスクールを決めてしまいます**。

でも、安い講座やスクールでは実際にはなかなか成果を残すことができません。なぜなら、値段相応のサポートしか受けられないからです。

実際に成功している人たちからも、「安い講座を何個も買うんじゃなくて、少し高くてもしっかりした講座を1個買えばよかった」と後悔する声をよく聞きます。

もちろん、高額で中身のない情報商材を売りつけるような詐欺には注意が必要です。

普段の食料品の買い物でもバッグでも講座でも、「安いから」と値段で決めるのではなくて、購入することで得られる価値や長期的なメリットを考えるようにしましょう。

ごちゃ…

1位：エネルギーの無駄遣い

エネルギーの無駄遣いというのは、**自分でコントロールできないことを変えようとして、そこにエネルギーを使ってしまうこと**をいいます。

先ほどお話ししたような、ほかの人に自分の人生を変えてもらおうとしてマッチングアプリに時間を使うという過去の私の行動は、その典型的な例です。

エネルギーの無駄遣いは、結果的に時間もお金も自分の心も無駄遣いしてしまっている、ということがよくあります。

大前提として、他人の言動をコントロールすることはできないと理解しておきましょう。例えば、親と同居している人が「親がもっと経済的に助けてくれたらいいのに」と思っても、それは変えることができません。

自分の人生を良くするのは自分にしかできないことです。それなのに、他人の行動を変えようとすることばかりに自分のエネルギーを注いでいると、いつまでたっても貧乏のままです。

では良いエネルギーの使い方はどういうものかというと、他人は変わらないものと思って、その環境の中で自分がどういうふうに立ち回れば物事がうまく進むか考えるためにエネルギーを使うことです。

幸せをつかめない人の3つの特徴

私はこれまでたくさんの人と一緒にお仕事をしてきましたが、幸せをつかめない人にはある共通点があることに気がつきました。その特徴トップ3を解説していきます。

3位：正しい情報を選択していない

最初に知っておいてほしいのは、**情報の重要性**です。

今の世の中では、誰もが発信者になることができます。

いろいろな人が情報発信をしている中で、**根拠があるのかないのか分からない情報がそこらじゅうに転がっている**のも事実です。

発信者がどんな人なのか、その人の情報は本当に信用できるかどうかチェックする癖をつけてください。

2位：即行動していない

成功する人には、大事な場面で即決するという共通点があります。

私はこれまでセミナー開催など含め1,500人以上のママさん方を見てきました。**成功する人は、大きな決断であっても自分の責任において判断を下し、即決しています**。

「子どもが大きくなったら」とか、「夫に相談してから」と言っている人が幸せをつかむのは、非常に難しいでしょう。

自分の直感に従った判断ができるよう、日頃から直感力を養う訓練も必要ですが、最も分かりやすい判断基準は「**魂が震えるほどワクワクするかどうか**」です。

ワクワクをキャッチしたら即決断・即行動。
これを合言葉として覚えておいてください。

1位：環境に投資していない

セミナーに参加したり、教材を買ったりというように、知識やノウハウに投資する人は山ほどいますが、その中で環境に投資できている人は実はほんの一握りです。
正直、**成功できるのは環境に投資できている人だけ**といっても過言ではありません。

環境というのは何かというと、**自分一人きりで頑張らなくてもいい状況のこと**です。受験勉強のために学習塾に通うことをイメージしてもらえると分かりやすいでしょう。ただ知識やノウハウを身につけたいだけなら、自宅で自主勉強をすれば十分でしょう。

しかし、環境への投資はつまずいたときに質問できる人がいるなどの“**人とのつながり**”の側面と、毎週決められた時間に勉強するなどの“**枠組み**”の側面という2つの意味で、非常に価値があります。

SNSでのお仕事と聞くと一人で黙々とやるようなイメージがあるかもしれませんが、そんなことは全くありません。

私自身、サポートしてくれる充実した環境があったからこそ、短期間で圧倒的な成果を出すことができました。

独学で全てを成し遂げたいのであれば、あなたが思い描いている幸せな生活へたどり着くまでに、ものすごく遠回りをすることになることを覚悟しておいたほうがいいでしょう。

独学は大阪から東京に歩いて行くことと同じ

独学という選択をする人は、できるだけお金をかけずに何かを習得したいと思う人でしょう。

これは、例えば**大阪から東京に向かうのに徒歩で行こうとしているようなもの**です。絶対にたどり着けないことはないですが、とても時間がかかります。

お金を使いたくないなら野宿をしないといけないし、歩きっぱなしで体力の消耗も半端ではありません。途中でケガをしてしまうかもしれません。

独学＝徒歩と同じこと

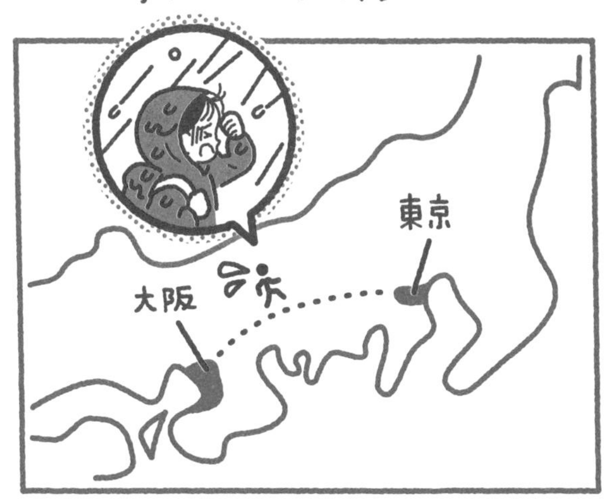

環境などへの投資＝新幹線を使うのと同じこと

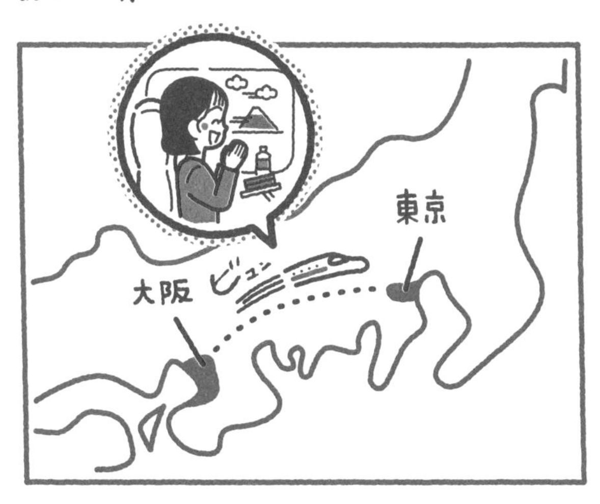

これに対して、**お金を払って環境・知識・ノウハウに投資して学ぶのは、大阪から東京に新幹線で行くことと同義です。**

当然、お金はかかります。ですがその対価として、快適な車内に座っているだけで、お弁当を食べながら、リラックスして好きな動画を見ながら2時間半で到着できるのです。

さあ、あなたはどちらの方法を選びたいですか？

あなたは、3年後にやっと1,000円が稼げるようになる働き方を知りたいと思って、この本を手にとったのでしょうか？　きっと違うはずです。

今すぐ自分の力で稼ぎたいと思って、お子さんたちとの今の貴重な時間を大切にしたくて、その方法を探しているはずです。
「子どもが小さいうちにもっといい生活をさせてあげたい」
「子どもを好きなところに連れて行ってあげたい」

という思いがあるはずなのに、どうして独学でやろうとするのでしょうか。**独学は最も遠回りの方法です。**

環境投資のすすめ

情報があふれかえっている今だからこそ、正しい情報を得るために環境投資できる一部の人が成功するのです。

一番の環境投資としておすすめできるのは、**自分からコミュニティに足を踏み入れること**です。

コミュニティに入ることのメリットとしては、次のことが挙げられます。

- 自分一人で頑張らなくてもいい
- 同じ目標に向かって切磋琢磨できる仲間がいる
- つまずいたときに助けてくれる先生がいる

このような環境があることは、これまで経験したことのない物事に挑戦する人にとって、非常に心強いものです。

周りの環境を整えることによって、人は何倍ものスピードで成功できます。だからこそ、知識・ノウハウだけを買って、自分一人だけで孤独に頑張ろうと絶対に思わないでください。**環境の力を最大限活用しましょう**。

ほかに考えられる環境投資としては、在宅で働くのであればいつも食事をしている食卓で仕事をするのではなくて、小さくてもいいから仕事をするためのテーブルを１つ購入するのがおすすめです。

静かに作業ができるように、ノイズキャンセルのイヤホンを買ったり、新しいノートを一冊買ってみたりするのもいいでしょう。

自宅で仕事をするのがどうしても集中できない人は、自分の気分が上がるカフェに行って仕事をするというのも、立派な環境投資の一つです。

お金持ちの家は物が少ない

ドラマを見ていると、お金持ちの家と貧乏な人の家にはそれぞれ特徴があることに気がつきませんか？

その特徴とは、**お金持ちの人は家に物が少なくて、貧乏な人の家は物があふれている**ということです。

ドラマで貧乏な人の家を映すとき、たくさんの物が乱雑に置いてありませんか？

机の上や食卓の上にいろいろなペン立てやリモコンが置いてあったり、冷蔵庫にもたくさんのプリントが貼ってあったりと、ドラマのセットでもわざとそういった演出をしています。

反対に、お金が増えれば増えるほど、家の中から物が減っていく傾向があります。

お金持ちの人は、自分にとって何が重要で何が必要ないのかを判断する能力が高いのです。そのため、余計な物を買うことがないので、結果的に物が少なくなります。

お金持ちの人は、仕事において責任を求められる立場であることが多いでしょう。

お金持ちの家

貧乏な人の家

つまり、ビジネスで結果を出すために高い集中力を発揮し、優れたアイデアを出し、よりよい決断をする必要があるため、それらの実現の邪魔になる物を排除しているのです。

貧乏な人の家に物が多い理由は、取捨選択力の低さです。取捨選択力が低いために、買い物をするときに「あ、これなんか便利そうかも！」「かわいいから買っちゃおう！」といった感じで余計な物を買ってしまったり、むやみやたらに誰かから物をもらってしまったりするのです。

そうして買ったものを結局使わなかったとしても、取捨選択力が低いので、「いつか必ず使うときがくる！」「これは絶対に必要な物！」と思ってしまい、その結果、家に物をたくさん溜め込んでしまうのです。

私が心がけているのは、**理想の自分が持っていそうなもの以外買わないこと**です。もしあなたの所持品に妥協して選んだものが多い場合は、あなたが人生そのものに対しても妥協して生きていることの表れだといえます。たくさんの物を買うのではなく、いい物を大切に使い続けることを当たり前のようにしていきましょう。

第2章

忙しいママに向いている仕事

忙しいママが幸せに近づくためのSNS運用

序章にて、「**忙しいママが幸せになるにはSNSを使ったお仕事一択です**」というお話をしました。

ただ、実際にSNSを使ったお仕事をしたことのない人は、自分にもできるのか不安に思うでしょう。

ここでは、自分にSNS運用の適正があるのかどうか確認していきましょう。

次に挙げる12の項目のうち、当てはまる数が多いほどSNS運用の適正があります。

①スマホはあるけどパソコンは持っていない

SNSのお仕事はスマホ1台あればできてしまいます。ハイスペックで高額なパソコンは一切必要ありません。

②子育て中で外に働きに出られない

働く＝子どもを預けて外に行かないといけないと思い込んでいませんか？

実は昔の私がそうでした。保育園に入れない＝働けないという思い込みをしていたのです。

でも、実際はそうではありませんでした。

完全在宅で、**家から一歩も出ることなく十分に生活費を稼いでいくことは可能**なのです。

③1日のスキマ時間を有効活用したい

日中は子どものお世話のため、なかなかまとまった時間がとれない人もいるでしょう。

朝子どもが起きる前、お昼寝の間、夜子どもを寝かしつけた後などで、**朝昼晩それぞれ20分ずつでも時間を確保すれば、1日1時間の仕事時間を確保できます**。

お子さんとのお散歩中や、子どもがベビーカーで眠ったとき、あるいはスーパーで長蛇の列に並んでいるときや電車を待っているときなどのスキマ時間を有効活用したい人におすすめです。

④完全オンラインで完結するビジネスがしたい

SNSのお仕事は全てが**オンラインで完結**します。

お出かけ先や旅行先など、時間や場所にかかわらず収入を生み出すことが可能です。

小さなお子様を連れて打ち合わせ場所に行かなければいけない、といったことも一切ありません。

⑤実名・顔出しをしたくない

SNSのお仕事は、実名や顔出しをしたくない人にもおすすめできます。「**表に出る仕事がしたくない**」「**Instagramってキラキラしていてちょっと苦手……**」という方にもピッタリな働き方です。

⑥真面目にコツコツ毎日継続できる

SNSは特に継続力が大切になります。**毎日きちんとタスクをこなせる人**でなければ、SNS運用は務まりません。

⑦人の悩みを解決したい

SNS運用でできることは、**お客様のお悩みを解決すること**です。誰かのお役に立てることに喜びを感じる人にはピッタリのお仕事だといえます。

⑧自分の頭で考えて課題を見つけられる

言われたことだけやっていたい人や、単純作業だけを毎日繰り返していればいいという“**雇われマインド**”の人は向いていません。

どうしたらお客様の悩みを解決できるか、自身の収入アップのために今何が足りないのかを自分の頭で考えられる人でないと、継続は難しいでしょう。

⑨自分の努力次第で収入を青天井にしたいと思う

固定給をもらって、毎月安定した絶対固定の収入がある安心感が欲しい人は向いていません。

SNSを活用してお仕事をすると、**自分の好きな分だけ働けて、頑張った分だけ報酬として返ってきます**。自分の仕事は全て自分の成果となります。

⑩常に勉強して自分をアップデートし続けられる

SNSは流行り廃りが激しいプラットフォームです。

1つのやり方に固執せず、トレンドに合わせて柔軟に対応していける人は、SNSを活用したお仕事に向いています。

⑪わずらわしい人間関係から解放されたい

会社員時代は同僚、上司、取引先など多くの固定された人間関係のなかでストレスを感じる場面がありました。

SNSでお仕事をするなら**付き合う人を選べる**ため、わずらわしい人間関係から解放されたい人にもおすすめです。

⑫自己管理ができる

誰かに管理してもらえる仕事ではないので、自己管理ができる人でないとSNSでお仕事を継続することは難しいです。

これら12の項目がもし自分には全く当てはまらなかったという人でも、**考え方を変えるだけでいくらでもSNS運用の適正を伸ばすことができます**。

その方法は、第3章で詳しく解説していきます。

Chapter 2-2

考え方 収入アップ SNS運用 時間術

日常の延長がそのまま仕事になるSNS運用

かつて、家でできる仕事は「内職」といわれ、商品へのシール貼りや宛名書きなど、単価が安い業務を手作業でするイメージがありました。

しかし最近では、「**在宅ワーク**」と呼ばれるようになり、**高単価のお仕事**も増えています。

また、パソコンが使えなくても、スマホアプリからハンドメイド作品を販売したり、アンケートに回答したりするといったお仕事もあります。

まずは、在宅ワークのおもな種類をご紹介します。

- 内職
- ポイ活
- アフィリエイト
- 物販
- Web ライター
- YouTube 動画編集
- Web デザイン
- プログラミング

- SNS 運用代行
- コンテンツ販売

私は最初、在宅ワークというと内職のイメージしかありませんでした。そのため、1件あたり非常に低単価な作業をひたすらやるというイメージでした。

スキルがなくてもできるとなると、誰にでもできる単純作業をするしかないと思っていたのです。

当時の私は、「Webライターやプログラミング、動画編集などは高いスキルが求められるため、そもそも今の自分では始めることすらできない」と諦めていました。

パソコンも持っていなかったので余計にできることは限られていて、それなら内職やポイ活をやるしかないのか、と考えていました。

ですが、SNSを活用したSNS運用代行やコンテンツ販売であれば、スマホ1台でスキルがなくても誰でもできます。

お金になるためのコツをつかむことによってSNSを使ってお仕事ができるとしたら、**ほかの在宅ワークと比べても格段に始めやすい**でしょう。

日常の延長線上にあるものを仕事にできるのが、SNSを使ったお仕事をする一番の強みといえます。

Chapter 2-3

考え方 収入アップ SNS運用 時間術

結論、SNS運用をするなら Instagramしかない

本書では、SNS運用＝Instagram運用と定義して話を進めていきます。

なぜなら、Instagramはほかの SNS が持っている全ての要素を兼ね備えているからです。

Twitterよりも最大文字数が多い

X（旧 Twitter）は基本的に文字がメインのアプリです。

文字数でいうと、前まで無料会員は**最長 140 文字**という制限がありましたが、有料会員は**全角 2,000 文字・半角 4,000 文字**まで入れられるようになりました。

機能面では動画や写真を載せられるなど Instagram に近い要素がありますが、文化としてどういう人がXを見ているかというと、そこにはやはり**文字でコミュニケーションを取りたい人が集まっています**。

文字での投稿は、話すのに比べて情報量が少なくなります。これは私自身の話ですが、早口で喋ると1秒で平均8.5文字

分の情報をお伝えすることができます。文章はじっくり、何度も読み込まなければ意味が読み取れないこともあるので、文字と音声で伝えられる情報量には大きな違いがあります。

もしXと同じように文章でアピールしたいのであれば、Instagramのキャプション機能で代用できます。

Instagramのキャプションは2,200文字まで書けるため、無料版のXを使うよりもはるかに伝えられる情報量は多くなります。

TikTokと同じように縦型動画で画面を占有できる

Instagramでは、**リール**というTikTokと同じような縦型動画を投稿することができます。

リールというのは、**スマホに特化した縦型の動画**です。縦型なので、動画はスマホの画面いっぱいに映し出されます。

YouTubeのように横型動画を縦にしたスマホで見ていると画面占有率は1/3程度ですが、**縦型動画ならば画面の全てを使って自分の情報を伝えられる**ため、縦型動画は横型動画よりも訴求力が高いのです。

YouTubeのショート動画に参入できる

YouTubeの最近のトレンドとして、従来のような10～20

分以上の長尺動画を見る人より、**ショート動画をサクッと視聴する人の割合が増えてきています**。

この傾向をうまく利用して、Instagram で投稿したリールを YouTube にそのまま転用投稿することで、チャンネル登録者数を獲得するだけでなく、リーチの拡大が狙えるのです。

ただ同じ動画を転載するだけですので、労力は１分とかかりません。

また、YouTube だけでなく TikTok や LINE にも同じ動画を転用することができるため、**Instagram を頑張るだけでほかの SNS でのコンテンツを増やし続けることができる**のです。

現状のアルゴリズムでは、Instagram において半年前や１年以上前のリールが再び注目を集めて時間差でバズるということはあまりありません。

そのときに旬の動画の再生数が伸びやすく、それもあまり長くは続かない傾向にあります。こういうタイプの SNS を「**フロー型**」と呼ぶことにしましょう。

これに対して YouTube は「**ストック型**」の SNS だといえます。キーワードで検索したときに上位表示されるようになっていれば、**半年前、１年前のショート動画であっても再生され続けます**。つまり、**資産性が高い SNS** なのです。

Instagramのリールを YouTubeに流用して、そのショート動画が高評価を得られるだけで、その動画はあなたが寝ている間も遊んでいる間もずっと無料であなたの代わりに働き続けてくれる超優秀なスタッフになってくれるのです。

言ってしまえば、**ただInstagramをやっているだけでYouTuberにもなれる可能性がある**ということです。

実際に、ほかのSNSでアップしている動画をYouTubeのショートに上げているだけで、登録者数が1,000万人を突破した人の例もあります。

今からYouTuberになろうと思うなら、**もはや横動画は必要ありません。**
Instagramをやっているだけで YouTuberにも TikTokerにもなれます。
Instagramは、それだけ可能性を秘めているSNSなのです。

Instagramではなんでも売れる

今、顧客は **"何を買うか"** ではなく **"誰から買うか"** を選ぶ時代になってきています。
ほかのSNSではなくInstagramを使うのは、「誰から買うか」の理由を大きくするためです。
例えば、同じアクセサリーを買うのでも「このアクセサリー作ってる人って、本当にアクセサリー作りが好きなんだな」「この人いつも頑張ってるな」というように、**制作や生産の過程が見えてくるからこそ、その人から買いたいと思うわけです。**

私が特に面白いと思ったのは、Instagram での農産物販売です。

自分の畑で収穫した野菜を、「今日はこんなきゅうりが採れました！」という具合に畑からの生放送インスタライブを通して宣伝販売しているのを見たとき、**Instagram を活用したビジネスの幅広さを実感しました。**

これをやるのに、特別大きなファームである必要は全くありません。例えば「子どもと一緒に自宅のベランダで、農薬を使わずにトマトを栽培しました」と投稿し、販売につなげている人もいます。

ここで大事なポイントは、この農家の例でも「はい、このきゅうりが採れました」とただただきゅうりの写真を載せるだけではなく、「今日はこういう作業をしました」「雑草取りがすごく大変です」のような"ストーリー"が垣間見えるからこそ、その人から買いたくなるわけです。

Instagram では、「この人から買いたい」と思ってもらえれば、どんな商品でも売れる可能性があります。

第3章

SNS運用がお金につながる成功マインド

理想のライフスタイルを明確化しよう

現実と理想のギャップを明確化すること。

これはSNSに限らず、それ以前の**人生設計**の話です。自分の現在地がどこで、どこに向かっていきたいのかを明確にしないと、正しい行動はできません。

ゴール設定がないと、せっかくノウハウを学んでも続かないのです。

私の講座でも、現実と理想のギャップを明確にすることは必ずやってもらうようにしています。

毎日忙しく過ごしていると、自分の夢や叶えたいこと、本当は何がしたいかなど、そんなことを考える暇すらないと思います。

「もっと余裕のある生活がしたい」
「理想の生活はこんなはずじゃなかったのに」

と思うことはあっても、今日を乗り切ることで精いっぱいなんて人も多いのではないでしょうか。

でもこれは少し危険な状態です。**自分の想いというのは、明確にしたことしか叶わない**からです。

例えば、あなたがレストランに行って料理を注文するとします。

「なんでもいいからお腹を満たしたい」

という漠然としたオーダーをしたら、お店の人は困ってしまうでしょう。もしかしたら何もテーブルに運ばれてこないかもしれません。

あるいは、「なんでもいいんでしょ」といって冷蔵庫の残りもので適当に作った野菜炒めが出てくるかもしれません。

こういった事態は避けたいわけですから、あなたがオーダーをする際は「パスタをお願いします。ナスとトマトソースを入れて、チーズはたっぷりで。辛いのは苦手なので、ケッパーは除いてください」と、こんなふうに明確にオーダーする必要があります。

ここまで詳細に注文するからこそ、**自分の思い通りの料理が目の前に現実として現れてくる**のです。

これは、人生においても同じことです。
あなたの人生を思い通りにしたければ、まず自分の願いを明確にすることが大切なのです。
そのために有効なのが、夢リストです。

夢リストで現実と理想のギャップを明確化

夢リストというのは、**あなたのやりたいことを整理するためのリスト**だと思ってください。

注意点としては、夢リストはただ書くだけで全ての夢が叶う魔法のようなものではありません。

夢リストを書くことによって頭の中が整理され、フォーカスするべき場所が分かり、具体的な行動につながっていくからこそ、夢が叶うのです。

これは私がいつも言っていることですが、**情報ファースト、物理セカンド**。思考、行動が先にあって、現実はその後です。

最終的に夢を実現できるかどうかは、**思考を整理したあなたがいかに行動できるかにかかっています**。

夢リストの作り方

それでは具体的な夢リストの作り方をご紹介しましょう。

作り方はいたってシンプルで、**あなたの夢を 100 個書き出すだけ**です。そんなに簡単なことなの？　と思ったかもしれませんが、夢を叶えるためには５つのポイントがありますので、それを解説します。

ポイント① 制限を外すこと

今の生活水準を基準に考えると、どうしても手が届く範囲の現実的な夢ばかり出てきます。

そうではなく、「もしあなたに何の制約もなく、お金もいくらでも使っていいという状況ならば、どういう夢を叶えたいですか？」という観点で考えてください。

「月に旅行に行く」とか「推しと付き合って一緒に住んでいる」といったような現実離れした夢でも大丈夫です。

ぜひ自分がワクワクすることを考えてみてください。

ポイント② すでに叶っている状態をイメージすること

すでに叶っている状態とはどういうことかというと、

「ハワイへ行ってみたい」
「豪邸が欲しい」

のように、願望の状態で書いてしまうと、今それが叶ってない現実のほうに強くフォーカスしてしまうことになります。

ですので、「月200万円稼ぎたい」ではなく「月200万円稼いで、家賃50万円の家に住んでいる」といったように、**すでに夢が叶ったというイメージで書いてみてください。**

ポイント③　できるだけ具体的に書く

なんとなくぼんやり考えている状態では夢は叶いません。

「もっとお金があったらいいのになぁ」

ではなく、

「毎月子どもと温泉旅行に出かけて、好きなお洋服は我慢せずに買えて、最新の機器があるエステに毎月通って今より8キロ痩せる」

のように、**夢が叶った状態の自分は具体的にどんな生活をしているか**想像しながら書いてみてください。

この場合、具体的な温泉宿の名前や宿泊代金、洋服のブランドやその単価、エステのお店とコースと金額まで明確にできるといいですね。

ポイント④　他人のことは入れないようにする

これは見落としがちなポイントですが、夢リストというのはあくまでもあなた自身の目標ですので、ここに**他人のことを入れない**ようにしてください。

たとえ家族であっても、自分以外の人の人生をコントロールすることはできません。

例えば、

「息子が有名大学に合格する」
「夫がもっと私のことを愛するようになる」

という夢は他人の人生への介入になりますので、このオーダーは通りません。
自分自身のことを書くようにしてください。

ポイント⑤　変わったときの感情まで味わいながら書く

あなたの人生は、"感情"が動いたときに大きく動き出します。

「月に100万円稼ぐ」と思って、いざそれを実現できたときというのは、とっても満ち足りた気分になるでしょう。
その感情を実際に体験したかのように書いてみてください。

これはある種の妄想・瞑想のようなものですが、潜在意識を夢が叶った状態にフォーカスしていくやり方です。

以上の5つのポイントを大事にしながら、次ページにある夢リストを100個書いてみてください。

work

夢リストに夢を100個書いてみよう

1.
2.
3.
4.
5.
6.
7.
8.
9.
10.
11.
12.
13.
14.
15.
16.
17.
18.
19.
20.
21.
22.
23.
24.
25.
26.
27.
28.
29.
30.
31.
32.
33.
34.
35.
36.
37.
38.
39.
40.
41.
42.
43.
44.
45.
46.
47.
48.
49.
50.

51.
52.
53.
54.
55.
56.
57.
58.
59.
60.
61.
62.
63.
64.
65.
66.
67.
68.
69.
70.
71.
72.
73.
74.
75.
76.
77.
78.
79.
80.
81.
82.
83.
84.
85.
86.
87.
88.
89.
90.
91.
92.
93.
94.
95.
96.
97.
98.
99.
100.

Chapter 3-2

考え方　収入アップ　SNS運用　時間術

夢リストを書けないときのヒント

そうはいっても、いきなり100個書こうとしても思いつかない人もいるでしょう。100個夢を書くためのヒントとしては、**カテゴリーで分けること**です。お金、仕事、家族、人間関係、体、心などのようにカテゴリー分けして、その中でさらに**細分化すると書きやすくなります**。

私も夢リストを書き始める前は、50個くらいで止まってしまうのではないかと思っていました。

しかしいざ書き始めたら、100個どころか200個も300個も出てくるわけです。そして、**今から3年前に書いた夢の多くが、今実現しています**。

例えば、

- オンラインビジネスで成功し、
  時間と場所に縛られない働き方で豊かに暮らす
- 海のそばの風通しのいい白い大きなお家に住む
- お客様から感謝され必要とされるお仕事をしている

などです。

自分でもびっくりしますが、3年前に夢リストを一生懸命書いて、それを実現するにはどうしたらいいかを必死に考えて愚直に行動したからこその結果だと自負しています。

あなたも夢リストの作成を後回しにせず、今すぐにでも書いてみてください。

ビジョンボードで夢の実現に近づく

夢リストを作った後に、**夢に該当する画像**をネット上から集めてきて、その画像を画面上で並べたり、印刷して画用紙やコルクボードに貼ったりして、自分の理想とするその風景を集めます。そうして作成された1つのボードを**ビジョンボード**といいます。

夢リストで明確になったギャップを埋めるために、ビジョンボードを活用しましょう。

ただ言葉や文字で思っているよりも、視覚に残るイメージとして見ることで自分の潜在意識に入り込みやすくなります。

自分の理想とするイメージを毎日見ることによって、自分の潜在意識が「あ、これは自分の本当の姿なんだ」と思うようになるのです。そのイメージを毎日目にすることによって、**自分の夢が叶うスピードが格段に上がります**。

これは引き寄せの法則の考え方です。潜在意識を書き換える一つの方法ともいえます。

Vision Board

成功者の考え方をまねする

あなたがもし成功を手にしたいなら、成功者の考え方をまねしてください。

物事には「**やり方**」と「**考え方**」があります。
今結果を残していない人がまねしなければならないのは、「やり方」の前に「考え方」の部分です。

どれだけ「やり方」をまねして知識やノウハウなどのテクニックを身につけたとしても、**「考え方」が今のあなたのままでは成功するのは難しい**といえます。

あまり上手くいっていないと感じているその人生は、自分の思考パターンや考え方によって選択したものから作られた人生だからです。

あなたの人生は、あなたがした選択の連続で出来上がっています。日々何気なくしている選択は、自分の思考パターンに基づいて決定されているのです。

AとBという2つの選択肢があったときに、「Aを選ぼう」

と思うのは、これまで積み重ねてきた自分の思考パターンが作っているということです。

そのチョイスをし続けてきた結果として、今の人生があるわけです。人生を大きく変えていこうと思ったら、思考パターンを変えていかなければいけません。

今までしなかったチョイスをしないことには、自分の人生がこの先ガラッと変わることはないからです。

成功する人と失敗する人の違い

では一体、成功する人はどんな考え方をしているのでしょうか？

ここでは、**成功する人と失敗する人の考え方の違い**を12項目に分けて解説していきます。この違いを理解しないままどれだけ頑張っても、結果は出ません。

1 成功する人は、お金より時間を大事にする
失敗する人は、時間よりお金を大事にする

2 成功する人は、失敗は成功へのステップと考える
失敗する人は、一度でも失敗したら諦めてしまう

3 成功する人は、人の振り見て我が振り直す
失敗する人は、人の悪口ばかり言う

4 成功する人は、ビジネスはありがとう集めと考える
失敗する人は、ビジネスはお金儲けと考える

5 成功する人は、切り替えが早い
失敗する人は、いつまでも固執する

6 成功する人は、常にチャンスをつかむ準備ができている
失敗する人は、準備不足でチャンスを逃してしまう

7 成功する人は、「○年後までに○○円稼いで○○な生活をする」と明確に決めている
失敗する人は、「そのうちいつかお金持ちになれたらいいのにな～」とぼんやりしている

8 成功する人は、やらないことを決めている
失敗する人は、全てを自分でやろうとする

9 成功する人は、緊急性はないが、長期的に見て人生において重要度の高いことに優先的に取り組む
失敗する人は、緊急度が高いことばかりこなして、長期で積み上がることに取り組まない

10 成功する人は、とりあえずやってみる
失敗する人は、100% 準備が整ったと感じられるまでやらない

11 成功する人は、自分を信じている
失敗する人は、自信がない

12 成功する人は、自分で決めて行動し、条件の合うところを積極的に探す
失敗する人は、行動しようと思える条件が揃うまで待つだけ

これらの「成功する人」と「失敗する人」の考え方の違いを理解したうえで行動すると、**自然と成功する人に近づく**ことができます。

自己流は事故る

成功するための唯一の方法は、継続です。

当たり前ですが、何か物事を成功させようと思ったら、**ちょっとつまずいただけで挫けてやめてしまっては、いつまでたっても成功することはできません。**

何か１つ上手くいかないことがあったときに、

「ああ、失敗した……」
と落ち込むのか、

「この方法では成功しないということが１つ分かった！」
「よし！　次は成功させるぞ！」
と前向きに捉えて次に活かすのか、この２つの考え方には大きな違いがあります。

かのエジソンも、「失敗ではない。上手くいかない１万通りの方法を発見したのだ」と言っていました。
つまずいたことを分析して、その失敗事例を回避することによって、着実に成功に近づいていきます。

やるぞー！
オー！

ただ、継続が大事なのは分かっていても、それが間違った方向の努力だった場合、どんなに頑張ったところでいつまでも成功できません。「**努力の方向性が正しいかどうか**」を常に冷静にみていく必要があるのです。

特に、**独学で学んでいる人は間違った努力をやってしまいがち**です。YouTubeなどから誰でも無料で手に入れられるような情報だけをかき集め、一切のお金をかけずに自力で稼げるようになろうとする人は大勢いますが、こういった人たちは知識にも環境にも投資していないために、上手くいかない確率が非常に高いといえるでしょう。

「**自己流は事故る**」という言葉はマーケティング界隈ではよく言われていますが、**同じ失敗をしてしまう人がそれだけ多い**のです。

事故を回避するためには、"**答え合わせができる環境に身を置くこと**"がポイントです。

実際に、5年もの間ずっと自己流でやり続けているけれども、全然収益が上がっていないという人は大勢います。

短い人生の中で、ダラダラと無駄に過ごしていい時間は1日もないはずです。

収入を得るためには、正しく自己投資をして、正しい環境に身を置くことが最短ルートなのです。

SNSは継続できれば自動的に勝ち上がれる

SNSをビジネスとして使おうという人は多いですが、**継続という基本的なこともできない人がほとんど**です。

みんな本当に、すぐにやめていきます。

これは3年間、1日も休まずに発信を続けてきた私だからこそ言えることだと思います。

私は2020年8月からInstagramのビジネス運用を始めましたが、同じ時期に始めた人で今も残っている人はほとんどいません。みんな何かしらの理由があってやめていきました。

SNSの世界においては、正しく継続できていれば自動的に周りが脱落していくため、勝ち上がることができます。

SNSで出会ったママ友たちの間で「一緒に頑張ろうね」と励まし合っていた人も複数いましたが、「やっぱり自分には向いていないんじゃないかと思った」とか、「毎月一定の給料が入ってくる仕事に戻りたくなった」という理由でやめてしまう人が大勢います。

もう辞めた！
え〜…

自由を求めて、

「もう雇われは嫌だ」
「自分の力で収入を稼ぐんだ！」

と意気込んでフリーランスになっても、結局なかなか思うように稼げずに、

「やっぱり安くてもいいから固定給がもらえるところで働いたほうがいいわ」

と言って、元のように雇われに戻る人ばかりです。

やめてしまう人の中には、

「家族の介護が必要になった」
「引っ越すことになった」

など、さまざまな事情があることでしょう。
これは私個人の意見ですが、SNS ビジネスはスマホ１台さえあればいつでもどこでもできる仕事なのだから、**その気さえあれば、どんな状況でも続けられるはず**なのです。

むしろ、**こんなに柔軟性の高い仕事はほかにありません**。
これで継続できなかったら、逆に何が継続できるというの

でしょうか。
理由があって継続できなくなるというのは、本心ではやりたくないと思っているために潜在意識が“できない理由”を探し始めているということにほかなりません。

SNSを仕事として続けていくためのマインド

スマホ１台でできるとはいっても、全てを自己の責任下で動かさなければいけないフリーランスという働き方は、プレッシャーが大きいのでしんどくなってやめたくなる人が多いのも分かります。
ですが、より多くのお金を稼ごうとするならば、大変なことを避けては通れません。

３年もSNSの世界で仕事をしていると、自分より１年も２年も後から参入してきたにもかかわらず、数カ月で何億円も売り上げる天才のような人が出てきます。
そういう人を見たとき、私もつい自分と比べてしまって「私なんか何年もやっているのに全然ダメだな……」「やっぱり私には向いていないんじゃないか」と思ってしまうこともあります。

これまでSNSで人生を変えてきた私でさえも、「ほかのビジネスのほうが合ってるんじゃないか」とか、「別事業でやっているところにもっと時間を割くべきなんじゃないか？」というふうに、辞める理由を探し出してしまうわけです。

でもそのときに、「いや、でも私には今まで1日も休まずに積み上げてきたものがあるから、諦めずに継続して、自分の売上を取っていこう」と思えるのか、それともそこで心が折れてしまうのか。ここが分かれ道なのでしょう。

ですが残念なことに、このマインドセットのまま新しい仕事を始めても、結局同じようなことが起こってしまい、また諦める選択をし続けていく人生を送る可能性が非常に高いのも事実です。

もういい加減、変わってもいい頃合いでは？

実際にあった話ですが、私がSNSクリエイター資格講座というSNS運用代行スキルを学ぶオンライン講座に第1期生として入学し、後輩として入学してきたさやかさん（仮名）というママさんがいました。

最初のほうは「やる気あります！　頑張ります！」と言っていて、私もさやかさんに直接指導もしたのですが、途中で「向いていないかも」と思ったようで、辞めてしまいました。

さやかさんはその後別のオンラインスクールに入って別ジャンルの勉強を開始しましたが、それも辞めてしまいました。

結局、今はSNSとは全然関係のないオフラインのお仕事をしています。

SNSを仕事にしたいと思い多額の自己投資をしたものの、1つのことを続けられずに仕事を転々とする人がよくいます。

時間や人間関係、給料に縛られない仕事がしたいと思ってSNSの世界に入ったのに、自分には向いてないと判断してやめてしまうのは、非常にもったいないなと思うのです。

仕事を転々とする人は、結局ずっと同じ行動を取り続けてしまいます。だからこそ、「私はここで頑張るんだ」と腹を決めて、決めたのであれば**形になるまで継続しないと、職を変えても環境を変えても同じことの繰り返し**です。

もういい加減、変わってもいい頃合いではないでしょうか。

実は私自身も、昔は何をやっても長続きしなかったため、気持ちは痛いほどよく分かるのです。

私の考えが変わったきっかけとしては、前述したコロナでの失業があります。もう後がなかったので、「私には向いていないかも」などと言っていられず、そのときはとにかく必死でした。

Chapter 3-6

知識だけではなく環境に投資する必要性

新しいことを始めるときに、最初から高い金額を払おうと思う人はいないはずです。まずは自分のやりたいことを調べるところから始めるのではないでしょうか。

知識やノウハウをYouTubeやInstagramからかき集めれば、それなりに形にはなるでしょう。
でも、それだけで安定して収入を稼げるレベルまで成長することは非常に難しいのです。

大半の人が、途中で挫折してしまいます。

お尻を叩いてくれる人が誰もいないから続かないのです。
いろんな人の動画やブログ、無料セミナーやワンコインセミナーを漁った結果、結局どれを信頼したらいいのか分からず、迷子になってしまいます。

考え方としてはダイエットと同じです。書籍やYouTube動画でエクササイズの方法を調べてその通りにやってみると、**ある程度の効果**はあるかもしれません。

ただ、自主トレだと管理してくれる人がおらず、サボってしまいます。

こうして結果が出ない月日を過ごすくらいなら、**週に１回でもいいからパーソナルジムに通ったほうが断然効果があります**。

集中的に３カ月や半年のプログラムでダイエットをしたほうが、絶対に速く理想のボディに近づけます。

プロが体の状態を見て、その人に合わせたトレーニングメニューや必要な栄養素、今日の体の状態を教えてくれるのですから当たり前ですよね。

知識や経験が豊富なトレーナーがいるからこそ、その人を頼りに自分は行動できるわけです。

この話をすると、ほとんどの人は「**私もパーソナルトレーニングに通うほうを選びます**」と言います。

でも、ことSNSになると急に独学でやろうとするのです。不思議ですね。

第4章

インスタを伸ばすために学んでおきたいテクニック講座

インスタは ファンなしでは成り立たない

「大切な人や大好きなことと あなたを近づける」

これは**Instagramが掲げているミッション**です。

私はこのミッションを、興味・関心・趣味・趣向が同じ人同士、つまり**近い属性の人の結束を濃くしたり、その輪を広げたりすること**だと解釈しています。

このミッションこそ、Instagramでファンを集める必要性につながるのです。

Instagramは、アルゴリズムによってタイムラインが自分好みに最適化されているのです。

ご存じの方も多いかもしれませんが、**Webや動画媒体の広告でも、表示される内容は人によって違ってきます**。

例えば、筋トレについてよく検索する人にはプロテインやジムの広告が多く上がってきて、お肌エイジングケアについて検索した履歴のある人には、シミ消しクリームの広告が上がってくるといったように、広告内容がパーソナライズされていきます。

今なら
入会金
0円!!
-10キロ
達成!
早割
キャンペーン中!

Instagramにもこのレコメンド（おすすめ）機能が実装されています。

例えば私がInstagramで、ダイエットの投稿ばかりを長時間閲覧して「いいね」や保存、コメントをしているときは、宅トレ系インスタグラマーの投稿やダイエットレシピアカウントの投稿ばかりが私のフィード欄や発見欄に表示されるようになります。

ですが、ダイエットに興味がない人が私と同時にInstagramを開いても、フィード欄や発見欄には私とは全く別の投稿が並んでいるわけです。

つまり、その人が**何に興味があるのかによって、それぞれのフィード欄や発見欄に表示される投稿が自動で選別されていく**のです。これはInstagramのアルゴリズムによって、時系列ではなく関連度に応じて表示されていきます。

インスタにおけるファンとアルゴリズム

私は、自分の発信に“本当に”興味を持ってくれるフォロワーのことを「**ファン**」と呼んでいます。

ファンがいないと、ビジネスをやっていく上で、**売上が伸びない、そもそもの認知が広がらない**などの影響が出てきてしまいます。

この部分は**Instagramのアルゴリズムの仕組み**とも深く関わってきます。

アルゴリズムは変化するものなので永続的ではありませんが、現時点でのアルゴリズムを解説します。

そもそもアルゴリズムとは何かというと、Instagramが動くその仕組みのことを指します。

具体的には、「ユーザーのフィード欄に誰の投稿をどんな順番で表示させるのか」や「ストーリーズが左からどんな順番で並ぶか」「発見タブの上部に誰のどの投稿を掲載し、バズらせるか」といった全てを決めているのがアルゴリズムなのです。

Instagramは**レコメンド**のアルゴリズムを構築しています。レコメンドとはすなわち、**AIによる自動おすすめ機能のこと**です。

このレコメンドをうまく使いこなすのに重要になってくるのが、フォロワーからの**エンゲージメント率**です。

エンゲージメント率とは分かりやすく言い換えると、**反応率**のことです。

自分のフォロワーの中で、どれだけの割合のユーザーが投稿に対して「いいね」、コメント、保存などの反応（エンゲージメント）したのかをアルゴリズムが判定します。

特に、自分の投稿が発見タブに掲載されるようになれば、フォロワー外のユーザーにもリーチしてバズらせることができます。

ファンが多いほど投稿が見られやすい

投稿が発見タブに載ってバズるまでのフローは、次のような流れです。

まず、あなたが何かしらの投稿をします。

すると、最初に自分のフォロワーのフィード欄に表示されます。

その投稿を見た自分のフォロワーが自分の"ファン"であった場合、即座に「**いいね**」を押してくれたり**コメント**をしてくれたり、または**保存ボタン**を押してくれたりなどの**何かしらのアクション**をしてくれることが多いでしょう。

フォロワーの中でアクションをした人数の割合が多い場合、**この投稿は質のいい投稿だとInstagramのアルゴリズムが判断する**のです。

そこで初めて、自分をまだフォローしていない"フォロワー外のユーザー"のタイムラインにも上がり始めます。

虫眼鏡マークをタップすると表示される発見タブに投稿が

掲載され、**自分をフォローしていない人もその投稿を見る可能性が高まる**のです。

反対に自分のフォロワーに“ファン”が少ないと、次のようなことになってしまいます。

例えば、あなたにフォロワーが5万人いるとします。

しかしそのフォロワーの中を見てみると、何となくフォローしているだけの人や、あなたの投稿に全然興味がない人ばかりしかいなかったとしたら、**5万フォロワーの中でたったの10人しか「いいね」をしてくれない**というような事態が発生します。

そうすると、その投稿はAIによって**質の低い投稿**だと見なされ、発見欄にはなかなか掲載されません。そのため、フォロワー外の人に届かない投稿となってしまいます。

では、ファンが集まっているアカウントはどうなるのでしょうか。

フォロワーが500人しかいないけれど、500人中300人が「いいね」したとなったら、エンゲージメント率がとても高いことになります。そうなると、このアカウントは質のいいファンを集めている、**Instagramにとって有益なアカウントだと判断される**のです。

これにより、「**フォロワー外の人にもこの人をおすすめしよう**」とInstagramが判断するため、発見欄に投稿が掲載されるというアルゴリズムになっているのです。

こういったフローがあるからこそ、**いかに自分の今のフォロワーを濃いファンにするか、本当のファンを集めるかということが大事になってくる**のです。

それは自分のアカウントの評価を高くすることにもつながり、そのことによってより多くのユーザーに自分の投稿を届けることができるのです。

結果として、**フォロワーが爆発的に増える**場合もあります。

ファンを集めるために気をつけたい5つのこと

ファンを集めることの重要性を理解したところで、ここでは**ファンを集めるための方法**を5つ解説していきます。

①自分の意見をハッキリ持って、価値観を共有する

自分の意見をハッキリ持つとは、「**私はこれ**」とキッパリと言い切ることです。
「Aもいいですよね。Bもいいですよね」というのではなくて、「**絶対A。もうBを選ぶなんて終わってる**」ぐらいの感じで自分のスタンスをハッキリさせることによって、A派の人は一気に自分のことを好きになってくれます。
B派の人は離れていってしまいますが、Instagramはそれでいいのです。

全員に好かれようとするのではなくて、一部の人だけの味方をすることによって、「自分の意見を代弁してくれた」「私たちの気持ち分かってくれているわ」とより好きになってくれるのです。
SNSでは、みんなにいい顔をしようとしたらあっという間に埋もれてしまいます。

パンより
ご飯かな…
朝ご飯は
絶対おにぎり!!

自分のスタンスとして、「**私はこうなんです**」という意見をハッキリと持つ。そして、自分が発信している価値観をハッキリと述べる。何回も、分かりやすく。そのことによって、それに共感してくれる人だけが集まったり残ったりします。

この繰り返しにより、**本当の意味でのファンが多い濃いアカウント**が作られていきます。

SNSでファン化をしていこうと思ったら、価値観を共有することが必須なのです。

価値観を共有することに正解も不正解もありません。

どんな価値観もありだから、別の価値観の人がいるのは当たり前です。これがファン化のポイント1個目です。

②過去のつらかったことをあえて開示する

SNSではつらかったこと、失敗したことはあえて開示するようにしましょう。

「過去のつらかったことを開示して何の得があるの？」と疑問に思うかもしれませんが、これは**ユーザーの共感を得るために必要不可欠なプロセス**です。

先ほど、Instagramにはファンを集めることが大切だという話をしましたが、**フォロワーをファンにするときは、深く共感してくれる人にだけ刺さればいい**のです。

万人にウケるようなことを言おうとすると、内容が薄い投稿となってしまいます。それでは、結局ピンポイントで深く刺さるメッセージを発信することはできません。

むしろ、「誰が興味あるねん！」と思われるくらいのピンポイントなメッセージを発信することで、狙い撃ちされた人の心には強く刺さるのです。そうすると、一気にその人たちの心をつかんでファンにすることができます。

例えばダイエットアカウントがあったとして、

「私ってすごく痩せてるでしょ？」
「スタイルいいでしょ？」
「みんなも一緒にトレーニングしましょう」

という人より、

「昔は太っているのがコンプレックスでした」
「本当にいじめられて、みんなからひどいあだ名もつけられて、彼氏もずっといませんでした」
「でもすごく頑張ってトレーニングして、そのおかげで今はこんなスレンダーな体になりました！」
「だからあなたも変われます！　一緒に頑張りましょう」

と言うほうが説得力がありませんか？

自分では思い出したくもないようなつらい出来事はたくさんあると思います。

私のこれまでの人生で言うと、離婚した当時の話や離婚後にすごく貧乏だったときの話は、今思い出しても心がグッて苦しくなるくらいつらい思い出です。

でもそれをあえて話すことによって、「私も同じ状況なんです。でもみーこさんみたいに頑張ろうって思いました」と言ってもらえたり、「気持ちを分かってくれてありがとうございます！」といった声をもらったりします。

結局のところ、そうやって投稿に深く共感してくれた人がファンになってくれたり、商品を購入してくれたりするわけです。

これが、「私はオンラインで稼いで沖縄移住して、毎日楽しいでーす！」ということしか発信してなかったら、また結果は違ったはずです。

だからこそ、「この人がどんなつらいことを乗り越えて今があるのか」という**ビフォーアフター**が、今のSNSではカギになります。

これも、「何を買うかより、誰から買うか」という部分とつながってきます。

誰も結果だけを見て買おうとはしません。「こんなどん底だった人がこんな努力をしてこうなった。だからこの人から買いたい」と思うわけです。

言ってしまえば、過去のつらいことや失敗したことはInstagramでは強みでしかありません。
何も悩んだことがない人に共感することはできないし、自分の悩みを相談しようとは思わないでしょう。

つらいことを乗り越えてきた人だからこそ、「今こういうことで悩んでいるんですけど、どうしたらいいと思いますか？」と聞きたくなるはずです。

悩んだことがあなたのセールスポイントになるのです。

だからといって、「何もかも洗いざらい開示しないといけないのかな？」と考えてしまうと精神的に苦しくなることもあるので、**自分の心が苦しくならない程度に留める**ことも覚えておきましょう。

③あえて飾らず親近感を演出する

SNS、特にInstagramはキラキラしている生活しか見せてはいけないという風潮が昔はありました。

Instagramの原点をたどってみると、**写真をオシャレに加工するためのアプリ**だったわけです。オシャレな写真を自分のフォルダに保存したり、フィルターをつけて自分の写真を全世界に発信できるという、**オシャレ映え写真を入り口にして始まったSNS** なのです。

だからこそ、Instagram のユーザーの多くは綺麗な自分を見せようとするし、カッコいいところだけを切り取ろうとする風潮があるのでしょう。

実際に私も、そういう**キラキラした投稿じゃないと「いいね」やコメントがもらえないと思っていましたが、実は違いました。**

ただ単にキラキラした投稿が求められているのではなく、どういう人なのかというところを重視する傾向が強くなってきています。**取り繕った上辺の部分、自分のキレイな部分だけを投稿しても、誰の心にも響きません。**

以前、寝起きに上下パジャマの状態でインスタライブをしたことがありましたが、思いもよらず好評でした。
普段は「みーこさんっていつもピシッとしていますよね」と言われることが多いのですが、朝起きたら私だってもちろん髪はボサボサです。
「**こういう人間的な一面もあるよ。てへ**」というようなところを見せたほうがファンになってくれるのです。

私は特に顔面が強いと言われることがあり、そのうえインスタライブでもズバッと物申すため、「怖そうな人」とか「強そうな人」と言われたりもします。

ですので、**あえてそれを崩しにいく**必要性があるのです。

クリーンすぎるとか、取っつきにくいイメージというのはInstagramでは逆効果でしかありません。

カリスマ的に憧れられるという点ではいいのかもしれませんが、「この人だったら相談できそう」とか「親身になってくれそう」と親しみを持ってもらうことはできません。

④単純接触回数の重要性

単純接触回数とは、**繰り返し接するものには好感度が高まる**という心理効果のことです。

例えば、最初はそこまでカッコいいと思っていなかった芸能人でも、CMやドラマ・雑誌で目にする機会が増えるたびに「**なんか好きかも**」と思い始め、気づいたときにはファンになっていた。

そんな経験、皆さん一度や二度はあるでしょう。

それと同じように、あなたもInstagramで投稿を継続していき、「**この人の投稿よくおすすめに出てくるな**」と思っても

この人
最近よく
見るな〜
!?
あれ!?
カッコいいかも!!

らえればチャンスです。

毎日欠かさず投稿しストーリーズも更新して、できるだけユーザーに見てもらう回数を多くするだけでも、週1回しか投稿しない人に比べたら圧倒的にファン化において有利です。

投稿は毎日しないといけない?

生徒からのよくある質問として、「**投稿は絶対毎日しないといけませんか?**」と聞かれます。

私の回答としては、先ほどお話したように「週1回しか投稿しない人と毎日投稿する人、どっちが伸びそうかで考えてください」とお答えします。

もちろん毎日投稿したほうがいいに決まっています。

ただし、何か事情があって投稿できないこともあるでしょう。なので、**「できるだけ」毎日投稿しましょう**、というのが私の回答です。

ただ、毎日更新しなければいけない、という部分だけにとらわれて投稿内容が薄くなり、結果としてユーザーに「いいね」を押してもらえなかったら、それは投稿する意味がなくなってしまいます。

1個1個しっかりファンの心をつかむ投稿を作るというのが大前提であり、そのうえで毎日続けることが必要になってくるわけです。

「毎日投稿する」という数が先に来るのではなくて、ファンやユーザーに「いいね」と思ってもらえるような投稿内容を作り上げたうえで、そのクオリティで毎日投稿しなければ意味がありません。

これは**ストーリーズに関しても同じ**です。

ストーリーズも、なんでもかんでも「単純接触回数が多ければいいんでしょ」と、なんの文字入れもせずに適当に撮った写真だけを載せるとか、「ランチ食べました」という日常だけを載せるとか、何の考えもなしに意味のない投稿が多いと、ただ読み飛ばされてしまうだけです。

⑤自分の体験談で差別化を図る

自分が発信したいジャンルにすでにライバルがいる場合、いかに差別化をしていくかが重要になります。

ただ、昨今では発信者数の増加に伴い、情報の質自体もどんどん高まっているため、情報の内容で差別化を図ることは非常に難しくなってきています。

そのため**ユーザーは、情報の有益性だけではなく「誰が」「どのように」発信しているかに価値を見出している**のです。

では具体的にどういったポイントで差別化を図るのがいいのかというと、Instagramであればまず**投稿の世界観**です。どういった配色で、どんなフォントを使用し、どんなデザインにするかといった選び方で世界観は演出できます。
またはリールであれば、どういった動画を使用するのか、自分の声を入れるとしたらどういうテンションで喋るのか、どんな言葉を使うのかという部分が差別化のポイントになります。もちろん、顔出しをしていればそのビジュアルだけでも十分な差別化になります。

最も強烈に差別化ができるコツは、あなただけの体験談を盛り込むことです。有益な情報にプラスして実際の体験談を入れるのがポイントです。

例えば美容クリームを紹介する投稿であれば、ただその美容クリームの効能を列挙しただけの投稿と、発信者の体験談を交えた投稿を比べてみると、ユーザーへの響き方には雲泥の差が生まれます。

「実は私、以前はものすごくシミに悩んでいて、こんなお肌の状態だったんだけど……」
と、実際のビフォー写真を載せながら、

「でもこの美容クリームを3カ月使うことで、こんなにシミが薄くなりました」
とアフターの写真までが載っていると、説得力とオリジナリティを持たせることができますよね。このような自分だけの体験談が、ほかのアカウントとの差別化になります。

先にジャンル、それからコンセプト

そもそもの話として、発信していくジャンルが決まらないことには、投稿することができません。

適切なジャンル選び

ジャンル選びをするうえで一番大事なことは、自分が楽しんで継続できるジャンルを選ぶことです。

女性の場合は特にですが、好きなことでないとなかなか継続できません。

chapter3-4 で「成功には継続が絶対大事だ」とお話ししましたが、**お金のためだからといって好きでもないことを毎日発信することは、精神的に多大な苦痛を伴います**。そのために継続することが難しくなり、途中で発信をやめてしまう人を何百人と見てきました。

だからこそ、**自分が好きでしかたがないジャンルを選べば、お金のためという意識を持ち続けなくても自然と継続できるようになります**。

例えば、気がついたら毎日見てしまっているようなことって、何かありませんか？

お菓子作りが趣味の人なら、SNSを開けば無意識にお菓子のレシピばかり見てしまっているとか、そういったジャンルが１つはあると思います。

例えば私の場合は、暇さえあればいつも天然石のことを調べてしまうくらい天然石が好きです。もし天然石について発信するとなれば、１日１投稿では足りないぐらい投稿にしたい内容が山ほどあります。

このようにネタ切れの心配もないような、むしろ「発信したくていてもたってもいられない」「あれも言いたい、これも言いたい」というレベルで自分の好きなジャンルを選ぶことが、きわめて重要なポイントになります。
そうでなければ継続することはできません。ただ、**適切なジャンルを選びきれていない人がほとんど**なのも事実です。

そのうえで、Instagramにおいてマネタイズしやすいジャンルを意識すると、自分の好きをお金に結びつけることが容易になります。

「**HARMの法則**」という、人の悩みを分類した法則をご存じでしょうか。

ヘルス・健康
Health

アンビション・夢
Ambition

リレーション・関係性
Relation

マネー・お金
Money

- Health（ヘルス：健康）
- Ambition（アンビション：夢）
- Relation（リレーション：関係性）
- Money（マネー：お金）

これらの頭文字をとってHARMです。

これら4項目のうちいずれかに該当するジャンルであれば、マネタイズがしやすいといえるでしょう。

ここに自分の"好き"が当てはまるのであれば、これがジャンル選びの最適解です。

● HARMの法則に該当する一例

・**Health（ヘルス：健康）**

10代：容姿、ニキビケア

20代：ダイエット

30代：マタニティ、産後のダイエット、エイジングケア

・**Ambition（アンビション：夢）**

10代：進路、受験

20代：就職

30代：キャリアアップ、転職、ワークライフバランス

・**Relation（リレーション：関係性）**

10代：友人との人間関係

20代：社会人としての人間関係、恋愛、結婚
30代：結婚、離婚、子どもとの関係

・**Money（マネー：お金）**
30代：節約術、自己投資、子どもの教育資金、住宅ローン、資産運用
50代：老後の資金

目を引くコンセプト

ここでは、発信するジャンルをダイエットに決めたと仮定して解説していきます。

ジャンルを決めた後は、どういったコンセプトで発信するか決めていきます。

例えば、ショート動画（リール）であれば、
- カメラの前に立ってダイエットの知識を定点カメラに向かって喋る
- 少し離れたところからダイエットしている様子を撮る
- 旦那さんと一緒にエクサイズをしている姿を見せる
- 外をランニングしながら喋る

などの「**この人といったらコレ**」という発信のスタイルとなるコンセプトを決めるといいでしょう。

私の場合は、ジャンルは“引き寄せの法則”です。コンセプトは、“チャキチャキの関西弁でカメラに向かって熱弁する人”です。

付け加えると、“シングルマザー”というアイデンティティ、“ど貧乏から這い上がって2社の社長になった”という自身の経験、“沖縄移住して南国生活を満喫している”という現在のステータスもコンセプトになります。

「ジャンル×コンセプト」のコンセプトの部分に何を当てはめるか、どれだけ人の目を引くものにできるかを考える必要があります。

例えば、同じダイエットジャンルの発信者の多くが、白っぽく清潔感のある空間で撮影しているのであれば、逆張りをして、生活感あふれる和室でエクササイズというコンセプトがヒットする場合もあります。

これは言わずと知れたYoutuber「ズボラストレッチ」の深井さんのお話です。
深井さんはダイエットジャンルにおいて“生活感あふれる和室、小太りでメガネのおじさん、ズボラさん専用”という斬新なコンセプトで発信をされ、YouTube登録者数は145万人います。

需要のあるジャンルに「面白い！」と思わせられるようなコンセプトを掛け合わせることができれば、どのようなジャンルでも**コンセプト勝ち**が狙えます。

ただこのコンセプトについても、**自分の頭で考える必要は全くありません。**

現在人気のある人はどういう人か、どんなコンセプトが流行っているのかをInstagramやTikTok、YouTubeでリサーチして、それを自分の発信コンセプトにつなげればいいのです。

コンセプトを決めようとするとき、つい自分の発信するジャンルの発信者のまねをしようと考えてしまうかもしれませんが、その必要は全くありません。

別ジャンルからコンセプトだけを輸入して、自分の発信するコンセプトと掛け合わせることで、唯一無二のアカウントが完成します。

例えば、料理をしながら離婚についてしゃべって人気を得ている人がいたら、その「料理をしながら」というコンセプトを自分のジャンルに転用することが考えられます。

自分の頭で「これがいいんじゃないか」と思ってそれがヒットすればいいのですが、「自己流は事故る」という言葉があるように、**ビジネスはすでに流行っているものに乗っかるこ**

とが正攻法です。

発信初心者の多くの方はオリジナリティを求めたがるのですが、それがとても遠回りであることに気づいてください。

流行っているものは、需要があるからこそ流行っているのです。だからといって丸パクリするのではなくて、そこに自分のエッセンスを加えようとしたときに、先ほどお伝えした「自分の体験談を入れましょう」とか、「できるだけ顔出しをしましょう」という話につながるのです。

また、ジャンル選びのコツとしては、普遍的なものを選ぶといいでしょう。

もちろん、流行りのジャンルというものは存在します。

例えば今で言うとChatGPTは勢いがあるジャンルです。参入している人がまだ少ないうえに話題のテーマなので、投稿したときの数字はよく伸びます。

ただし、本当に「ChatGPTのことが好きでたまらない！」という場合はジャンルとして選んでもいいのですが、**“流行っているから”という理由だけで選んでしまうと、どこかで絶対に続けるのが苦しくなります**。

さらに流行り廃りがあるジャンルだと、そのジャンル自体の勢いが落ちてきたらアカウント自体も伸びなくなってしまいますので、その点も注意が必要です。

魅力的なプロフィールに共通する法則

魅力的なプロフィールと聞いて、どのようなものをイメージするでしょうか。プロフィールは、基本的に次の４つから構成されています。

1 アイコン写真
2 ユーザーネーム
3 アカウント名
4 プロフィール本文

①アイコン写真

アイコンの種類としては、以下の選択肢が候補となります。

- 属人性のある写真
- 発信内容が分かりやすいイラスト
- 直接ユーザーに訴求できる文字
- ロゴ（企業の公式アカウントの場合）

写真をアイコンにする場合のポイントとしては、次の項目を参考にしてください。

- 画質はいいか？
- 明るさは十分か？
- 無料素材を使ってないか？
- オリジナリティがあるか
- 人感が伝わると◎
- コンセプトに合ったカラーか？
- アップすぎる自撮りはNG

なお、自分で撮れない場合はプロに写真を撮ってもらいましょう。細かいと思うかもしれませんが、今はこれくらいしないとInstagramでアカウントを伸ばすことは難しいのです。

巻末のQRコードから私のInstagramのプロフィールにアクセスできるため、実際に写真のポイントを確認してみてください。

②ユーザーネーム

ユーザーネームは、プロフィールページの最上部左側、またはリール動画のフォローボタンの左に表示されます。

また、最もユーザーとの接触頻度の高いストーリーズやインスタライブでも、アカウント名ではなくユーザーネームが表示されます。

そのため、あなたのユーザーネームを見た人が、「どんなアカウントなのか」を一瞬で判断できるワードをチョイスする必要があります。

ユーザーネームには次の3つのポイントがあります。

1 ローマ字読みしやすい
2 発信ジャンルを入れる（例 :diet、recipe など）
3 15 文字以下

③アカウント名

アカウント名は､アカウントのタイトルにあたる部分で､プロフィールにおいて最も重要であるといえるでしょう。

アカウント名を考えるときは、アカウントの発信コンセプトを端的に表現することを意識してください。

④プロフィール本文

プロフィール本文は以下のポイントを押さえることで、初めて見た人にも「この人は有益な情報を発信しているな」と思ってもらえます。

- 1 行目…あなたは誰に向けた何の専門家なのか、発信内容を分かりやすく示す
（アカウント名の由来をさらに詳しく表記するなど）
- 2 行目…あなたをフォローすると得られるメリットやベネフィット
- 3 行目…あなたの実績や権威性

- 4行目…LINE 登録時のプレゼント内容（ある場合）

5行目以降が見られることは少ないと考えていいですが、以下のように**ついフォローしたくなるような一文や、ユーザーにとって欲しい行動を明確に提示する行動喚起（CTA：Call To Action）の一文があると効果的**です。

- 毎日 18 時投稿 / 毎週月木 22 時インスタライブ
- ストーリーズ / インスタライブが超有益
- 人気投稿 Best3 はピン留め
- お気軽に「無料相談」と DM ください

求められているのは、悩みを解決できる有益な情報

Instagramではファンになってもらうことが大事だという話をしましたが、**実は運用の初期段階では、人間性を推し出すことによってファンを増やすことを意識するべきではありません。**

初期段階というのは、投稿者の魅力でファンになってもらうより、**投稿している情報が有益だからフォローする**という流れがメインなのです。

巷のSNS運用ノウハウでは、よく「人となりを出せ」とか、「私生活を見せていくのも大事だ」と聞くかもしれません。たしかにそれも大事なのですが、それは自分自身のブランドが出来上がっていて、「この人はいつも有益な情報を発信している人だ」という認知があってこそです。

そのうえで、普段の発信からは見えてこないような意外な人となりや、キチッとしていそうなのに実は私生活がズボラという一面が垣間見えることで初めて親近感を持ってもらうことができるのです。

ですので、順番としては、**まず有益な情報発信を続ける**ことです。運用初期というのは、どれだけ役立つコンテンツを発信していけるかがポイントになります。

ではどうやったら有益な情報を発信できるかというと、"**ユーザーのお悩みを解決する投稿をすること**"です。

お悩みを解決するというのは、マイナスの状態になっている人を0や1以上に引き上げる行為のことです。

困っている人のお悩みを解決してあげることで、「この人は私にとって役に立つアカウントだ」と思ってもらい、そこで初めてファンになってもらうのです。

誰かの悩みをリサーチする方法

誰かのお悩みを解決したければ、まず大前提として、誰が、何について、どのように悩んでいるのかを知る必要があります。

まずは**悩みのリサーチ方法**をここで覚えておきましょう。

リサーチをするときに役に立つのが、ジャンルを選ぶときにもお話したHARMの法則です。HARMの法則には人の悩みが詰まっています。

Instagramでは悩みやコンプレックスに特化した投稿にリ

アクションが集まりやすく、同時にアカウントも伸びやすくなります。

なんとなく悩みを解決した気になるのは、悩みに寄り添う投稿をしたときのありがちな失敗です。

例えば、投稿内容が美容のジャンルだとしたら、35歳の女性は何に悩んでいるのかなと自分の頭で考えて、「髪のダメージに悩んでいそうだな」と**なんとなくの感覚でやると失敗します**。

そうではなくて、ターゲットの悩みをリサーチして、リサーチした情報をもとに発信の内容を作っていきましょう。

悩みはリサーチするもの

悩みをリサーチする方法はいくつかあります。Instagramのフォロワーがまだ全然いない段階だとすると、「教えて！goo」や「Yahoo!知恵袋」など、質問を公に募集するサイトから悩みのタネを引っ張ってきます。

【30代　美容】などと入れて検索すると、それに関する悩みの質問が一覧表示されます。それで同じような質問が多いものや、質問に対する回答が多いものは多くの人が関心のある話題ということです。それを投稿にしていくのです。

RESEARCH

「シミが多くて困っています。どうしたらいいですか」とか、「シワが増えてきてケアの仕方に悩んでいます」などの質問がいっぱいあるとしたら、「30代は必ず見るべきシミケアの鉄則」というタイトルで投稿をしたら多くのリアクションが集まりそうですよね。

このリサーチ方法なら完全無料ですし、いくらでもお悩みを解決する投稿を生み出すことができます。

もう1つの無料リサーチ方法としては、**Amazonで書籍を検索するやり方**です。

自分の発信ジャンルが先ほどと同じ30代美容だったら、Amazonの書籍キーワード検索で【30代　美容】と検索をかけます。

一覧表示された中から、レビューが多い人気商品のレビュー欄をチェックします。そうすると、「私はこんなことで悩んでいたんですけど、この本を読むことで解決しました」といったレビューが書いてあります。

そのレビューに対して「役に立った」の数が多いのだとしたら、そのコメントは多くの人が同じ悩みを持っていたり、同じように解決した人がいたのだと考えることができます。

別の方法としては、**自分のフォロワーに直接聞くこと**です。

フォロワーへの聞き方は、直接DMで聞いてもいいですし、関係性がそこまで出来上がっていない場合はストーリーズで聞くといいでしょう。ストーリーズは基本的にフォロワーだけが見るものです。質問箱を設置できるため、それを活用しましょう。

フォロワーへの悩みの聞き方は2種類あり、1つは「今の悩みを教えてください」と、**“どんなことで悩んでいるのか”を聞く方法**です。

もう1つは正直に「皆さんの悩みを解決できるような有益な発信をしていきたいので、今悩んでいることを教えてください」と**真っすぐに伝える方法**です。

後者のほうは、フォロワーに参加してもらうことによって、「**この人のアカウントは私たちで作り上げたものだ**」と一体感を持ってもらえる効果も期待できます。

発信者とフォロワー、双方向でのコミュニケーションがあることが今の Instagram では大切なのです。

フォロワーに、

「自分も一緒にアカウントを作り上げているんだ」
「自分もそのアカウントの中に参加しているんだ」

と思ってもらうことが、強いファン化につながります。
上記の方法がどれも苦手だという人は、**ターゲット層にな**

っている友達に直接聞いてみましょう。これは意外とやっていない人が多いので盲点です。

自分が発信するジャンルを自分とかけ離れた人に対して発信する人は少ないですよね。

例えば、私自身は36歳女性なので、60代男性に向けた悩みを発信しようとすると正直難しいものがあります。
基本的には自分と似た立場や、過去の自分と同じような悩みを抱えている人に対して発信をすることが多いのです。

例えば、20キロのダイエットに成功した人は、太っていたあの頃の自分と同じように悩んでいる人に向けて発信をします。

また、現在8歳の子どもを育てているママは、「子どもが生まれたばかりの8年前の自分はどう子育てをしたらいいのか分からなかったけど、8年間子育てをしてきてある程度やり方が分かってきたから、新米ママに向けて発信をしよう」とか、少し前の自分に対する発信内容を無意識に選んでいるのです。

平均して、**発信を届けたい年齢層は、今の自分の年齢からプラスマイナス10歳くらいになることが多いです**。
実際にあなたの周りには、あなたと近い年齢層の人が多いのではないでしょうか。

だからこそ、自分の周りにいる人に直接悩みを聞くことが効果的なのです。

形にこだわる必要はなく、電話でもLINEでもいいので、本当に良い投稿を作りたいと思うのであれば、久しぶりの友達でもいいので、「今インスタでの発信を頑張ろうとしていて、美容に関する発信をしようとしてるんだけど、何か悩んでいることはない？」という具合に、友達全員に連絡をするくらいの勢いでリサーチをしてみてください。

これまで多くの人にSNS運用を教えてきましたが、みんな楽をしたがります。

もちろんインターネットでリサーチをすることで大衆の意見を聞くことができますが、友達に直接聞いてみることによって、ネットには載っていないような意外な悩みが出てくるものです。

なんでもかんでもネットから情報を得ようとするのではなく、リアルなつながりを大切にすることで思いがけないヒントがもらえることもあります。

今ある交友関係を活かすことによって、あなただけの発信につなげることができるのです。

結局、インスタは映える投稿が伸びる

私は2020年にSNS運用を開始しました。

そのころのInstagramというのは、いわゆるビジネス界隈で「**インスタ映えはもう古い**」と言われていました。

ビジネス界隈というのは何かというと、サロン系、飲食系、起業家など自分のビジネスにつながるような発信をしていく発信者たちのことです。

つまり、ビジネス目的でInstagramを使っているアカウントのことです。そういった発信者が増えてきたのがちょうど2020年ごろです。

ビジネス界隈の発信者が本格的に参入してくるまでは、Instagramはいかにオシャレな写真を投稿するかという部分が重要視されていましたが、2020年ごろから"文字で訴求する"という手法が主流になり始めたのです。

それまでは、「見て見て！　オシャレな写真でしょ？」という発信だったのが、キャッチコピーやタイトルを入れるなどして、より効果的に自分の商品やサービスの購入につなげるための訴求をするようになりました。

今発信する時はね!
はぁ…

私自身、セールスコピーライティングに基づいた心理学や良い訴求ができるタイトルづけ、効果的な文字の選び方などを駆使して、ライティングができていれば写真や背景はいらないと思っていた時期があり、実際当時はそういった投稿でも反応が取れていました。

薄ピンク1色の単色背景に明朝体の黒文字でタイトルだけを書いてそれでリーチを伸ばしていたのです。そのときは正直言って投稿を作るのが楽でしたが、今はそうもいきません。

そこからこの3年間でどんどん発信者の数が増えてきて、**Instagramは現在発信者であふれている戦国時代の状態**です。強いライバルも多くなってきているため、デザイン性がある投稿のほうが伸びてくるのは自然な流れです。

Instagramは元々視覚に訴えるSNSなので、潜在的にオシャレなものが好きな人が集まっているのです。

文字だけで情報を得たい人はXを、動画が見たい人はYouTubeやTikTokを開きます。

それと同じように、Instagramは視覚的にオシャレな情報が得たいと思っている人が開くわけです。

であれば、**同じ文字を使っている投稿があったとしたら、映えている投稿のほうが伸びる**わけです。

投稿が映えるようになるちょっとしたコツ

映えている投稿のほうが求められるからといって、なにもプロの写真家のように素敵な写真を撮らないといけないわけではありません。

投稿が映えるようになるには、ちょっとしたコツさえ覚えれば大丈夫です。

皆さんは、**Canva**というアプリをご存じでしょうか。Canvaは**写真をオシャレに加工できるアプリ**ですが、さまざまなテンプレートがあり、自分の発信に合うものを選んで自分の写真を差し込むことで、**簡単に映えるデザインを作ることが可能**です。

しかし、この本をお読みの方はただデザインを作るだけではなく、そこに**自分のオリジナリティを加えたい**と思っていらっしゃることでしょう。その方法を3つお伝えします。

オリジナリティを加える方法①　色を変える

Canvaのテンプレートの配置はそのままで完成されているため、**配置は変えずに色使いを変えていきましょう**。

色には、次のように相手に与える印象があります。

- 黄緑…生き生き、新鮮、のどか、親しみ、若々しい
- 緑…自然、さわやか、健康、安全、平和
- 青緑…シャープ、進歩的、革新的、派手、躍動的
- 赤…情熱、強さ、活動、刺激、生命力、警戒
- 橙…陽気、アクティブ、派手、温もり、にぎやか
- 黄…活気、希望、陽気、愉快、注意
- 青…クリア、さわやか、清潔、静寂、悲しみ
- 紺…繊細、知的、落ち着き、誠実、フォーマル
- 桃…かわいらしい、安らぎ、優しい、女性的、甘美
- 黒…重厚、気品、高級、クール、威圧
- 灰…中立、理知的、人工物、静か、無機質
- 白…クリーン、清楚、無垢、シンプル、無個性

また、色を選ぶときは**自分のジャンルに沿った色を選ぶ**のがコツです。

例えば、マタニティやベビーについて発信しているのに黒をメインに使おうと考える人はいないでしょう。

同じように、料理について発信しているのに紫がメインカラーではしっくりきません。

私の場合は沖縄在住なので海で撮影した写真を使用することが多いため、メインカラーは青で統一して発信しています。青というとさわやかさ、クリーン、クリアなイメージがありますので、見た方にそういった感情を持っていただきたいため、私は青をチョイスしています。

どのような色を使うか考えるときのポイントは、

- どういう印象を与えたいか
- 自分の発信ジャンル
- 発信を届けたいターゲットに沿うのはどんな色か

以上の3つです。

これらのポイントを踏まえながら、**1つ色を選んでその色をメインに使いながら発信をすると、統一感あるデザインが作れます**。

赤も使って青も使って黄色も使ってとすると、投稿ごとに色みがちぐはぐで統一感がありません。メインの色を一色選んだら、それプラス黒と白のようなシンプルな色使いでOKです。

ちょっとしたテクニックですが、薄いパステルカラーの上に真っ黒の文字を載せると印象が強すぎるので、その場合は黒の文字をチャコールグレーにするなど、少し薄くすることによってグッと柔らかい印象になるのでおすすめです。

オリジナリティを加える方法②　フォントを揃える

Canvaにはいろいろなデザイン文字がありますが、シンプルに**ゴシック体か明朝体のどちらかに絞るべき**です。

力強くしたいときはゴシック、女性らしくしたいときは明朝体で大まかに選んでください。

フォントによってオリジナリティを出そうとして、**デザイン性を重視したフォントを選んでしまうと視認性が低くなります**。パッと見たときに、内容がスっと頭に入ってこないのです。

あまり意識していないかもしれませんが、ゴシック体や明朝体は日常の中にあふれています。
新聞もそうですし、広告やポスターで使われている書体も多くがゴシック体か明朝体です。

Instagram の投稿はタイムラインや発見欄でどんどん流れていってしまうので、**ゼロコンマ何秒で目に止まらないとスルーされてしまいます**。
どれだけ見やすいか、一瞬で目に飛び込んでくるかどうかが大事になってきますので、デザイン性がありすぎる文字は適しているとはいえません。

投稿を見てもらわないことには自分の存在に気づいてもらえないため、**視認性の高いフォント選び**が最重要ポイントになります。

そのうえで、この人は力強く元気なゴシック体の人、この人は繊細で女性らしい明朝体の人という**与えたい印象**でフォントを揃えてください。

一口にゴシック体といっても、細いものから極太までさまざまです。

こちらも同業者の投稿や書籍検索などのリサーチベースで選定し、あなたらしさを演出してみてください。

オリジナリティを加える方法③　写真のクオリティ

昨今ではスマホカメラの性能が上がってきているので、**何十万円もする一眼レフのカメラをわざわざ買う必要は全くありません**。

デフォルトのカメラの設定を最高画質にして、背景をぼかせるモードで撮影してみてください。

iPhone の場合は、**ポートレートモード**を選択すると一眼レフで撮ったような写真を撮ることができます。

Google で調べてみると、撮るときの角度もすぐに出てきます。遠近感の出し方や、角を使って撮るなどのテクニックを駆使するだけでプロっぽく撮れるようになります。

今持っているスマホでどうやったらオシャレに撮れるか、研究しながらやってみてください。

タイトルを考えるときは映画の予告をイメージする

Instagramにおいてタイトルは超重要です。

タイトルとはフィード投稿の1枚目や、リール動画のカバー写真に入れる文字のことです。タイトルで9割決まると心得てください。

Instagramにおけるタイトルは、いわば**映画の予告編のようなもの**です。

映画の予告編って、ものすごく続き（本編）が気になる構成をしていませんか？

例えば、『タイタニック』の予告編があったとして、「ローズとジャックが出会って、いろいろあったけど最後にジャックが亡くなります」という結論までを先に言ってしまうと、ネタバレ感が半端ないですよね。

そうではなく、ジャックとローズが出会って恋に落ち、その後船が沈没しそうになって、さてこれから2人はどうなるでしょうか、という部分までが予告編であるから本編が気になるわけです。

結末を知りたいからこそ、続きを劇場で観ようと映画館まで足を運ぶのです。

END

続きが気になるところで終わらせるのが大事で、結末まで言ってしまっては台無しです。

Instagram に話を戻すと、2 枚目から後を見る理由を作ってあげることが重要なのです。

キャッチーなタイトルはどう作るのかというと、何度も言っている通り“**自分の頭で考えないこと**”です。
自分の頭で「こういう言い方をしたら興味を持ってもらえるんじゃないか」と考えて上手くいくほど、ライティングの世界は甘くありません。

セールスコピーライターという専門的な仕事まで存在し、プロがしのぎを削っている世界に、何も勉強していない私たちがなんとなく考えたところで上手くいくはずがありません。

裏を返せば、**ライティングで食べている人が使っているテクニックをそのまま頂戴すればいいわけです。**

ではどうやってリサーチするのかというと、ここでまた**Amazon の書籍検索**が有効になります。

Amazon の書籍で自分のジャンルを検索すると、たくさんの書籍のタイトルを見ることができます。書籍のタイトルは、「どうしたら手にとってもらえるだろうか」「書店ではどの棚に置かれるだろうか」など、編集や営業の人たちの試行錯誤の末に作られています。

書籍のタイトルから、自分の投稿のタイトルに使えそうなアイデアをたくさん抽出していきます。
具体的には、**いいなと思ったワードを片っ端からメモに書いてストックしていく**のです。ちなみに私はスプレッドシートに書き溜めています。

Amazonの書籍検索だけでなく、**YouTubeのタイトル**からも同じようにストックしていきます。
Amazonは書籍検索をすると人気順やレビューが多い順で表示されますが、YouTubeも同じように再生回数が多い動画のタイトルから持ってくるのが大切です。

YouTubeで検索をするときは、自分の発信するジャンル内で検索していきます。
「有名なユーチューバー」と聞いて名前を思い浮かべるような、その"人"自体に人気がある動画ではなく、**"動画の内容そのもの"が有益だから再生回数が多い動画をチェックする**ことがポイントです。

再生数が多い動画はどういうタイトルの使い方をしているかチェックして、言語化して要素を抽出する作業は欠かせません。

要素というのは、**キーワード**のことです。

例えば、タイトルの出だしが「衝撃的！」と書いてあるのが伸びていると分かったら、人目を引くつかみが重要なのだと仮説を立てることができます。

「〇〇の裏ワザ」「〇〇だけが知っている秘密」などのようなタイトルが伸びているなら、先が気になるから見る人が多いのかなと考えられます。

自分の中でいいなと思ったワードをストックしていって、その中から組み合わせて自分でタイトルをつけていきます。ブログやInstagramでも同じようにリサーチすることができます。

仕事や家事、育児をしていると、今日は一日中リサーチしようと思っても、まとまった時間をとることは難しいはずです。だからこそ、**常にアンテナを張って頭をマーケター脳にして、日常の中でリサーチ作業をやっていく**わけです。

そうすると、自分の頭には常にフィルターがかかっているため、街を歩いていても電車に乗っていても、今までなんとも思っていなかったポスターや中吊り広告などから、「**このワード、投稿に使えそうだな**」と目に飛び込んでくるようになるのです。

何も考えずに街を歩いているとただの道でしかありませんが、マーケター脳に切り替えた途端、全てのポスターや広告が自分に役立つものとして飛び込んできます。

常にマーケター脳で生きていると、リサーチ時間をまとめてとる必要はありません。
日々の生活の中でスマホから広告が流れてきたときに、良いと思ったらスクショすることなどを習慣づけしておくと、タイトル案は無限に集まってきます。

では実際にどういうワードを使うと効果的なのか、**バズるインスタタイトルテンプレート200選を本書をお読みいただいた方限定にプレゼントします**ので、巻末ページをご参照ください。

ストーリーズを制する者がインスタを制す

ストーリーズは**24時間で消える投稿**です。

ストーリーズは**すでにフォローしてくれているユーザーがおもに見る投稿**のため、新規フォロワーを獲得するための投稿とは内容を変えていく必要があります。

限定性が出せるという部分で、ストックできるフィード投稿やリール投稿と大きな違いがあります。
鮮度が重要な投稿なので、いつもこの人のストーリーズが更新されていないかチェックしたいと思うようなコンテンツを出していく必要があります。

「あっ、またこの人ストーリーズの更新してる！」
「今回はどんな内容だろう？」

と、ストーリーズが新しくアップされる度に気になって見にきてもらえるものにしていきたいわけです。

昨今では、**Instagramはストーリーズしか見ないというユーザーも多い**のです。

実際に、**フィード投稿やリール投稿を全くせずに、ストーリーズだけしか更新しない発信者もいるぐらい**です。
それでもマネタイズはできているということからも、ストーリーズの持つ威力が分かるでしょう。

当然、フィードやリール投稿も大事ですが、それ以前にストーリーズが使いこなせていないとどんなに良い投稿を続けてもアカウントを伸ばすことは難しいといえます。

ストーリーズを制する者がインスタを制します。

現在 Instagram の機能の中で、最も重要であると断言できます。

なぜストーリーズがそんなに重要かというと、**ストーリーズは Instagram にしかない機能**だからです。
TikTok にも近い機能がありますが、現状 TikTok ユーザーにはアプリを開いてもストーリーを毎回チェックする慣習は根付いていません。

それに対して、Instagram ではアプリを開いて真っ先にストーリーズを見るという行動がすでに根付いています。これは Instagram 特有のものなので、Instagram でアカウントを成長させるにはストーリーズを避けて通ることはできません。
また、**ストーリーズはフォロワーからの反応がもらいやす**

いのも特徴の１つです。言い換えると、アクションを起こしたいと思ってもらいやすいのです。

ストーリーズにはワンタップで反応ができるリアクションスタンプがあったり、質問のアンケートに答えたり、質問箱にコメントすることで簡単に発信者とコミュニケーションが取れるからです。

そのため、いかに反応がもらえるストーリーズを更新していくかが、ほかの競合アカウントと差別化をする重要な要素になります。

ストーリーズを頑張りましょうといっても、ただ、

「朝ご飯はパンを食べました」
「お昼はうどん食べました」
「今から寝ます。おやすみなさい」

のように日常生活をたれ流しても、よほどの有名人でないと興味を持ってもらえません。

ストーリーズ上でも、「見るとテンション上がるな」「悩みの解決につながるな」など、あなたのストーリーズを見たユーザーが有益だと思ってもらえる内容を発信する必要があります。

次に重要なのは、**ストーリーズを見た人にリアクションを**

してもらうことです。
一方通行ではなく、見た人から反応が返ってくることを前提としたストーリーズを載せることが重要です。

では一方通行ではないストーリーズはどう作るのかというと、Instagramにはユーザーにリアクションしてもらえる機能がいくつかあるため、それを使います。

1つが**リアクションスタンプ**と呼ばれるもので、これはスタンプの部分をポンとワンタップするだけでリアクションできるため、一番反応率が上がりやすいものです。

もう1つは**アンケート機能**です。選択肢を2択から4択まで設定して、その選択肢を見た人が直感的にポンと押せる機能です。
こちらもリアクションスタンプと同じように、ユーザーが自分の頭で考える要素が少なく、提示されたものの中から選ぶので、反応率はリアクションスタンプの次に取りやすいといえます。

もう1つは、反応をもらえるハードルが上がってしまいますが、**質問箱**という機能があります。
なぜハードルが上がるのかというと、ユーザーが自分で考えて文字を入力しないといけないからです。そのためリアクション率は下がりますが、直接ユーザーの悩みを聞けたり意見をもらったりすることができるため、濃いファンにつながりやすい点では大きなメリットがあります。

ベストな投稿時間

投稿時間に関する悩みも多く聞きます。

何時に投稿すればいいのかに対する答えとしては、**ユーザーがアクティブになる時間帯に合わせて投稿する**のが鉄則です。

●ユーザーがアクティブになる時間帯

- 朝の通勤時間（7時30分～9時）
- お昼休みの時間（12時～14時）
- 帰宅時間（18時～20時）
- 仕事が終わってから家でゆっくりしている時間（21時～）

上記時間帯が、ユーザーがスマホを見ている時間が一番長い時間帯です。

とはいえ、発信しているジャンルのユーザーがどういったライフスタイルかによって、投稿時間帯は変える必要があります。

例えば、フォロワーの多くが20代の学生で夜型の人ばかりだというアカウントの場合、朝は遅めの時間にしか起きないでしょう。

朝の通勤時間
お昼休みの時間
帰宅時間
家で
ゆっくりしている時間

その人たちの起きる時間に合わせて10時に「おはよう」とストーリーズを載せることで、反応率が上がるかもしれません。

その一方で、フォロワーの中心が毎日子どものお弁当を作っていて朝6時には絶対起きているお母さん方となる場合は、朝6時にストーリーズ投稿をしたほうが反応が良いということになります。

自分のフォロワーがどういうライフスタイルなのかによって投稿する時間帯は変わってくるため、ABテストをしてみるのもいいでしょう。

ベストな投稿回数

投稿時間とセットで悩み相談をいただく投稿回数についても解説します。

一般的に、SNSを見る人が多くなる時間帯が、

- 朝の通勤時間
- お昼休みの時間
- 帰宅時間
- 夜

ですので、**その時間帯に合わせて毎日3、4回投稿することが一番効率よくフォロワーの目に留まる投稿回数となるでしょう**。

ただし、1日4投稿より多かったらダメ、少なかったらダメ、毎日同じ数をやらなきゃダメということはありません。

何も載せることがない日は1投稿でも2投稿でも構いません。

反対に、今日はお出かけしたから見せたいものがいっぱいあるとか、伝えたいことがたくさんあるというときはたくさん投稿してもいいわけです。

ストーリーズではその人らしさが求められる

素材の重要性についても知っておきましょう。

これも最近のトレンドですが、写真だけを載せたり、写真に文字だけを載せたりするより、動画を載せたほうが反応が取れます。

さらに、動画に文字を載せてリール投稿のようにするとより見られるようになります。

動画を入れていくと**ライブ感**が出るため、画像や文字だけよりも"**その人らしさ**"や"**生きている人感**"が伝わりやすいのです。

静止画だけの場合に比べて、風が吹いて木がそよいでいる様子が背景に映っていたり、周囲の風景をぐるっと見回すように撮影したりするだけでも、ライブ感が伝わりやすくなるのでぜひやってみてください。

質問に対する回答は濃いファンを集めるチャンス

質問箱を設置したら質問が来たので、それに対して文字で回答するやり方があります。これも悪くはありませんが、最近私がよくやるのは**質問に対して動画で回答する方法**です。

「こういう質問が来ていました」とストーリーズに載せて、動画でその質問に答えるのです。

ストーリーズは1分まで載せられるため、1分間の中で質問に対して回答してあげると、質問してくれた人にとっては「動画で答えてもらえた」という付加価値がつくため、より濃いファンになってもらえます。

それを見た人も、「この人に質問したら、もしかしたら動画で答えてもらえるかもしれない」と思い、今まで質問してこなかった人も質問してみようと、また新たな人が動いてくれるようになります。

より濃いファンになってもらうためにも、文字や写真だけでなく、動画を活用しましょう。

以上のように、

1 フォロワーがリアクションを取りやすい機能を使うこと
2 投稿頻度と時間帯はフォロワーによって調節すること
3 文字だけでなく動画を使うこと

これら3つがストーリーズのポイントです。

ストーリーズのデザインテクニック

24時間で消えるストーリーズだからといって、適当な動画や写真を載せてもいいということはありません。

クオリティ高く洗練された素材を載せていきましょう。

文字を写真に載せたいのであれば、人物は中心に配置せず、端に映るような構図で撮影します。

また、横向きで撮ってしまうと上下の余白ができてやぼったくなってしまうため、縦で撮ることが好ましいです。

縦16：横9の比率で、ストーリーズ用であることを意識して写真を撮ると、それだけでも他の人とはちょっと違う写真になります。

ストーリーズに使える小ワザ

これは変化球ですが、普段は洗練されたデザインでオシャレな写真を載せているのに、時々ひどく汚い部屋を写したり、「料理失敗しちゃいました、てへ」みたいな写真を混ざり込ませたりすることで、**親近感を抱いてもらえる**ことがあります。

小ワザとして挟んでいくとファン化を加速させられる場合がありますが、普段の投稿は洗練されているという前提があってはじめて面白いと思ってもらえるわけですので、取り扱いには注意が必要です。

いつもガチャガチャした写真を載せていたら、そもそも見てもらえなくなります。

フィード投稿やリール投稿は世界観の演出をする場所ですので、世界観を乱す要素はなるべくカットする必要があります。

フィード投稿やリール投稿で汚い部屋の写真を載せても、誰も見ようとは思いません。

ですが**24時間で消えるという特性上、自分の人間味につながる部分や失敗エピソードを入れやすいのがストーリーズの特徴**です。

フォロワーの心をわしづかみにするインスタライブ

インスタライブをやる目的は、ズバリ**ファン化**にあります。

ストーリーズは、すでに自分をフォローしてくれている人を濃いファンにするためのものだとお伝えしましたが、インスタライブはその上位互換だとお考えください。

最近私は、アクセサリーや天然石を紹介・販売しているインスタライブをよく見ます。

そのライブでは、まだアクセサリーにもなっていない原石を画面に映して、それを加工後の写真と並べて、

「これは翡翠です」
「これはクリスタルです」
「これはローズクォーツです」

と１個ずつ並べて紹介しています。

そのライブを見てみると、その人が天然石を見せながら、「こんな輝きなんです。見てくださいこれ。すごく綺麗ですよ

ね」「この石はこんなパワーがあって、これはどこどこ産で、これは身につけるとこんなふうに素敵なことが起こります」と喋るわけです。

私が天然石好きということもありますが、こういうライブを見ていると、ついつい欲しくなってしまうものです。

知り合いの天然石事業者さんは、「**ビッグサイトのような大きい会場で行われるリアル販売会に3日間出店するよりも、インスタライブのほうが何倍も売上が出る**」と言っていました。インスタライブにはそれくらいの販売効果があるということです。

このことからも分かるように、今の時代、有形無形にかかわらず、**何を買うにしても、売り手の背景や人となりが分かる人から買いたいと思いやすい**ということです。今は特にそのような傾向があります。

「販売している人は誰でもいい」「とにかく買えればいい」という商品もたしかにあります。プレミアがついているブランドやポケモンカードなどはこれに当てはまりますが、そういった商品はごく一部でしょう。

商品や物であふれているこの時代、消費者は何を買うかではなく、誰から買うかを常に考えています。

「この人から買いたい」と思ってもらったときに、はじめて商品は売れるのです。

人の感情が動いたときに商品は売れるため、ユーザーと仲良くなったり自分のことを知ってもらったりすることが、商品販売のための第一歩となります。

Instagram のアカウントが伸びるのも同じ話です。
私の場合は、インスタライブをすることで、

「みーこさんってバリバリの関西弁なんですね！」
「みーこさんの歯切れのいい話し方が好きです」
「今日のお話もとっても分かりやすかったです！」

などの DM をいただくことがあります。

インスタライブというのは、自分のキャラを出せる場です。
また、一方的に喋るだけではなく視聴者からコメントをもらえるため、双方向でやりとりが行えるというのがライブの強みです。
もしできるのであれば、絶対にインスタライブはやったほうがいいです。
「ライブはどれくらいの頻度でやればいいですか？」と質問をいただくことがありますが、できるのであれば毎日でもやったほうがいいです。

しかし、毎日となるとなかなか時間が取れなかったりすると思うので、週に1回、2週間に1回、1カ月に1回などご自身のペースで大丈夫ですので、ぜひ生放送で喋る機会を作ることを心がけてください。

顔出しはしなくてもいい

「私は顔出ししていないので、インスタライブはできません」という人もいると思いますが、**必ずしも顔出しをしなくてもインスタライブはできます**。

カメラをオフにすれば声だけのラジオ配信もできるようになっています。

また、例えば壁際にお花やぬいぐるみを置いて、それらを定点で写しながら喋るというやり方もあります。

ただし、せっかくライブをするなら映像に動きがあったほうがより良いでしょう。商品を売るのであれば顔は出さなくても商品を手に持って紹介する形でもいいですし、紙に文字を書きながら手元だけを映して配信するのでもいいでしょう。

このように、顔出ししないでライブをする方法はたくさんあります。顔は見えなくても声や喋り方、テンションなどで自分のキャラを伝えることは十分にできるのです。

「顔出ししていないから私の人となりは伝わらない……」と思っているとしたら、それは完全なる勘違いです。

Chapter 4-10 考え方 収入アップ SNS運用 時間術

AIに気に入られるとインスタは伸びる

AI、アルゴリズムに関することはこれまでにもお話してきましたが、**AIに最も気に入られる行動は、ユーザーから多くの反応をもらうことです。**

ユーザーは自分の投稿を有益だと思っているから反応をくれるわけなので、ユーザーからの反応が多いアカウントはもっと多くの人とつないであげようと思ってもらえ、AIが勝手に拡散してくれるようになります。

Instagramの運営側の気持ちになって考えてみましょう。運営サイドの思惑としては、Instagramユーザーに「YouTubeよりもTikTokよりも、やっぱりインスタにこそ私好みの良い情報があるわ」と思ってもらいたいわけですよね。Instagramも、ほかのSNSと戦っているのです。

ですので、「ユーザーからの反応が多い＝有益なアカウントは、ほかのユーザーにも紹介してあげることでもっとInstagramに滞在したいと思ってもらえるはずだ」という思考になるので、有益なアカウントをより多くの人に届けることはミッションであり、生き残り戦略なのです。

だからこそ、質が高いと判断したアカウントは、AIによってどんどん自動で拡散されるという状況が起こるわけです。

昨今ではAIレコメンド機能の精度が上がっているため、興味関心の度合いが高い人に向けておすすめされるようになっています。

私のアカウントをわざわざ50代男性にはおすすめしないように、ちゃんと私の投稿に興味がありそうな人を分析して、その層に対しておすすめしてくれているのです。

だからこそ、その賢いインスタのAIさんを上手いこと活用していけるかが肝になってきます。

それを踏まえたうえでやるべきこととしては、まずは今いるフォロワーに、

- 「いいね」をもらえる
- コメントがもらえる
- 保存してもらえる

そんな有益な情報を発信していくことです。

有益なお役立ち情報を出していくことが第1ステップになります。それがAIに気に入られる行動につながっていきます。

これまでにいろいろなテクニックをご紹介しましたが、どれも自分のフォロワーに反応してもらうためにやることです。

何をしたら自分の今いるフォロワーが多く保存してくれるのか、それが動画で出すことなのかフィードで出すことなのか、長いリールなのか短いリールなのか、というのは自分のフォロワーによって異なります。

そのため、「これをやったら絶対正解」という答えはありません。

一般的に見て反応が取りやすいノウハウは今までお伝えしてきましたが、**答えはあなたのフォロワーが持っています。**

自分のフォロワーを分析することが何よりも大事なのです。

では分析はどうやったらいいのか、という疑問は次の項目の「自分のフォロワーを分析するためのインサイト」でお話していきます。

Chapter 4-11 考え方 収入アップ SNS運用 時間術

自分のフォロワーを分析するためのインサイト

フォロワーを分析する、自分のアカウントを分析するといっても、「どうやって分析したらいいか分からない」と迷ってしまうのも当然の話です。

ここでは、そんな人のために、フォロワー、そして自分のアカウント分析のためのインサイトを解説していきます。

インサイトというのはInstagramの公式分析ツールのことです。

インサイトを用いれば、アカウントのフォロワー属性（年齢、性別、地域など）に関するデータや、各投稿におけるエンゲージメントなどの数値を確認できます。

また、アカウント全体の数値だけでなく、個別の投稿における数値も確認することができます。インサイトを見るには、プロアカウントに設定する必要があります。

インサイトを分析することによって、**自分の感覚に頼った運用ではなく、数字に基づいた運用ができるようになります。**

数字をしっかりと見ていくことにより、どのような投稿が伸びるのかの答えはフォロワーが持っていることに気がつきます。

自分では「これは多くの人に共感してもらえるだろう」と思って投稿した内容でも全然反応がなかったり、反対に「これは伸びないだろうな」と思っていた投稿が予想外に伸びたりすることがあります。

このような結果に対して、感覚ではなく数字で客観的に捉えることで、「今のフォロワーはこういう投稿が好きなんだ。じゃあ次も同じことをやろう」とブラッシュアップを重ねることができます。

自分の今までの投稿でどれに「いいね」が多くついたのか、どれにコメントが多くついたのか、どれが多く保存されたのか、振り返って分析してください。

ただ投稿しっぱなしで終わってしまっては、宝の持ち腐れです。

SNS運用に慣れていない人は、保存率が何%などの細かい部分までは見なくていいです。

「いつもの投稿よりこの投稿だけいいねが多いな」
「この投稿だけ急にコメントが多くなったな」

「普段はいいねがつくのに、この投稿だけつかなかったな」

などと気づくことで、その原因を考えてそれを次に生かす。これを繰り返すだけで十分です。

ただ、これらはどれも予測でしかありません。
予測をもとにもう一度同じような投稿をしてみて、それでまた同じ反応が取れたら、その予測が正しかったと判断できます。
予測が外れる場合も多々あります。この部分が伸びた要因だろうと思って同じことをやってみても、同じ反応が取れないことももちろんあります。
そうすると、伸びた要因はもしかしたら違う要素だったのかなとまた別の仮説を立てることができます。
必要なことは**PDCAの繰り返し**です。そのサイクルを高速で回すためにも分析は欠かせません。

ブラッシュアップを重ねることで、伸びる投稿だけを残していけます。その積み重ねにより、常にユーザーからリアクションを取れるアカウントを作り上げていくことができます。

もっと具体的にデータ分析をしたい人向けに、インサイト分析テンプレートを本書のご購入特典としてプレゼントします。巻末ページにあるQRコードをご参照ください。

第5章

実際にSNSで収入を得るための具体的なステップ

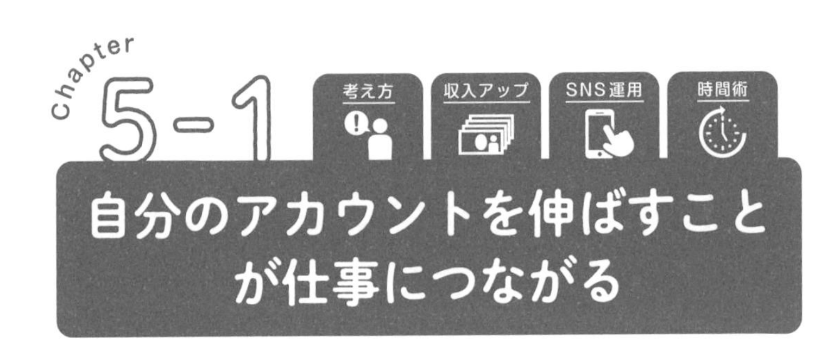

自分のアカウントを伸ばすことが仕事につながる

これまで、しつこいくらいに自分のアカウントを伸ばす方法をお伝えしてきました。

自分で伸ばしてきたアカウントというのは、それがそのまま自分の実績になります。その実績をもとに、収益化の第一歩を踏み出してみましょう。

SNSを通して収入を得る方法は、実はたくさんあります。
例えば、自分の商品サービスが何もない場合は、アフィリエイトという選択肢があります。
自分の商品サービスをお持ちの場合は、有形であればハンドメイド作品の販売や物販など、無形であればコンテンツ販売、オンライン秘書、営業代行、SNS運用代行などさまざまな選択肢があります。
今回は**スマホ1台でInstagramを使って収入を生み出せるSNS運用代行**という働き方について詳しく解説したいと思います。

SNS運用代行とは、中小企業、個人事業主、店舗といった**クライアントのSNS運用をサポートすることによって収益**

を得るお仕事です。

自社商品の宣伝のためにInstagramをもっと上手に運用したいけれどその方法が分からない事業者や、Instagramをやったほうがいいことは分かっているけれど、人手も時間も足りないという事業者がいま急増しています。

その方々の商品サービスを世に広めるお手伝いをし、クライアントの売上アップを二人三脚で目指すことによって、**愛と感謝の循環を生み出すために貢献するまでが役割**です。

どうやってSNS運用代行を始めたらいいのか迷う人もいるかもしれませんが、最初は小さい単価から始めてみるといいでしょう。

自分のアカウントを伸ばした経験が仕事になる

今まで**自分のアカウントを伸ばすために試行錯誤してきた中で得た経験が、ここで生きてきます**。

例えば、「Canvaを使って投稿画像を1枚何千円で作ります」という仕事の取り方は分かりやすい入り口です。

最初はクライアントから「こういうものを作ってほしい」と言われたことを、**言われた通りにやるような仕事から入る**

といいでしょう。

そこでクライアントが希望したものを納品できると信頼関係が構築できるため、そこで自分から提案を持ちかけてみるのです。
「○○様のジャンルをリサーチしたところ、今ですとこういう色使いでこういうフォントが人気を集める傾向があります。よりユーザーからの反応が得られやすいデザインで試しに投稿を作ってみたのですが、ご覧いただけないでしょうか？」
といったように、**先に作って提案すること**がポイントです。

そうすると、「ちゃんと業界のことをリサーチして作ってきてくれたんだ」と思ってもらえるため、「じゃあ次からそれでお願いします」と任せてもらえるわけです。このようにして**信頼を積み重ねていく**わけです。

さらにその後は、例えば、
「今はものすごくリールが重要視されていて、フィード投稿だけよりリール投稿もしたほうがよりたくさんの新規ユーザーに見てもらえる可能性が高くなります。もし良かったらやってみませんか？」

とか、

「業界をリサーチした結果、こういう構成でアフレコもつけてリール投稿を作成するとすごく反応が取れると分かったので、一度制作をお任せいただけませんか？」

のように、**追加で提案**をしてみてください。

このようにして報酬アップにつなげていきます。

小さいところから入り込んでいって、徐々に大きな仕事を巻き取っていくのです。

「リールを1カ月運用して分析してみた結果、プロフィールの改善が必要だと思いました」
「公式LINEの誘導はこういうふうにして、プレゼントはこういうふうにつけたほうが良いと思います」

と、別角度からも提案すると、また仕事を巻き取れるわけです。

「部分的に任せるより、一括して任せてもらったほうが絶対結果につながります」というように、信頼とともに少しずつ単価をアップさせる提案をすることで、単価を上げていくことができます。

最初は1枚1,000円とか2,000円でやっていた仕事の単価が、やがて3万円になり5万円になり10万円になります。自分で1件ごとの仕事の規模を大きくしていくのです。

10万円まで引き上げることができた仕事を3件契約できた

ら、30万円になります。

これはなにも、最初から30万円の仕事を目標にしようということではありません。
最初は**小さい単価の仕事を積み重ねる**しかありません。

1個1個の積み重ねで、階段を1段1段登るように自分の売上を作っていくのです。そうやっていくと、30万円という金額もそんなに遠い目標ではありません。

30万円というと、「私には無理」と思う人がたくさんいます。
でも、1日で30万円稼げますと言っているわけではなくて、やっていることは**地道にコツコツの繰り返し**です。

自分自身のアカウントを伸ばすためにやってきたことと全く同じなのです。

難しく考えずに、クライアントのアカウントを自分のアカウントだと思って、二人三脚で育てていくことです。「私はそれを全身全霊でやります」という誠意が伝われば、必ず仕事は取れます。

月30万円くらいであれば、誰でも達成可能なのです。

10万
5万
3万
1万
2000円
1000円
0円

実際、どうやってSNS運用代行のお仕事を獲得するの？

SNS運用代行のお仕事を獲得する方法

仕事を獲得する方法としては、主に次の4種類があります。

1. クラウドソーシングサイト
2. Instagram
3. リアル営業
4. 紹介

①クラウドソーシングサイト

ココナラ、ランサーズ、クラウドワークス、タイムチケット、Yentaなどさまざまなサイトがありますので、まずはここからお仕事を探していきましょう。**クラウドソーシングサイトを使う目的は、始めたばかりの段階で実績を作っていくこと**にあります。

個人的に気になるのは、**フリーランサーの中には、仕事に対して真摯に向き合わない人が一定数いることです**。

急に連絡が取れなくなってしまったり、一度「やります」と言ったのにもかかわらず、途中で「やっぱり私には無理です」と仕事を中断してしまったりする人が目立つのです。

レスポンスが遅かったり、文面がいい加減で敬語の使い方も間違っていたりして、友達のようなノリでクライアントに連絡をしてしまう人も見られます。

また、クラウドソーシングサイトにはプロフィールを設定するときにアイコンが用意されています。

そのアイコンもデフォルトのまま設定していないとか、写真を設定していても、暗い写真や自撮りのよく分からない写真の人が大勢います。

プロフィールも「よろしくお願いします」ぐらいしか書いていない人もいます。

誰がそんな人に仕事を依頼したいと思うのでしょうか？

アイコン写真すらきちんと設定していない人がいる中で、**「私はきちんと仕事をします」ということが伝わるようなしっかりとしたプロフィールを準備することができれば、それだけで存在感を発揮できます**。

写真は明るいところで撮り、もし暗かったら加工したり、服装はきちっと襟のついた服を着たり、それすらもやっている人は少ないのです。

クラウドソーシングサイトで仕事を募集するといっても、プロとしてプロフィールを作り込むことを意識してください。

営業の文面を送るときも、

「よろしくお願いします」
「初めまして、〇〇です」
「私はこういうところで学んできて、こんな経歴があって、こんな実績があります」

と、自分が何者なのか知ってもらうことを意識しましょう。
たとえ実績がなくても、「実績はまだありませんが、誠心誠意やらせていただきたいと思います」「レスポンスは〇時間以内に必ずお返しします」「納期は必ず守ります」などのように誠意が伝わるように書くだけでも、ほかのプロ意識のない作業者との差別化ができます。

私もフリーランサーさんに仕事をお願いすることがあるのでクライアント側の気持ちも分かるのですが、

- レスが速い
- やりとりがスムーズにできる
- コミュニケーションが取れる

というだけでもポイントは高くなります。

こういった、**スキルやクオリティに関係ない最低限の部分だけでも、「この人に頼みたい」と思うことがあります。**

ここの部分をきちんと押さえていれば、案件を取ることは可能です。案件の獲得は、実績の有無だけで決まるものではありません。

② Instagram

Instagram上から仕事を獲得するときは、基本的には**DMで営業していく**形になります。

特にメッセージを送るときのルールなどがあるわけではありません。

Instagramというのは、ひんぱんに営業DMが届くところでもあります。そんな中で届いたDMを最後まで読もうと思うか思わないかの違いは、丁寧に誠意が込もった文章が書かれているかどうかにあります。

全部コピペだと確実に最後まで読まれません。

もちろん、テンプレートとなる部分は用意しておいていいでしょう。自分の経歴は誰に対しても変わらないと思うので、そこはテンプレートを用意しておいて構いません。

絶対にしなければいけないのは、「○○さん」と相手の名前を呼ぶことです。

届いたDMに目を通すと、「この人は本当に自分の投稿を見ているのか？」と疑問に思うことがあります。
よくあるのが、

「みーこ様、初めまして。××です」
ここまではいいとして、

「投稿を拝見しました。すごくためになりました。ところで……」といったつなぎ方です。

「いやいや、絶対見てないよね。これほかの人にも同じの送ってるコピペやん」と思ってしまう残念なDMはよくあります。

では、どういうメールなら最後まで読む気になるかというと、
「みーこさん、投稿を拝見させていただきました。ママさん方に向けて引き寄せの法則を分かりやすく発信されている内容で、すごく有益だと感じました。コメント欄まで拝見しましたが、皆さんからすごく支持されている様子がうかがえました」

とか、

「インスタライブなども見たんですけど、すごく盛り上がっ

てらっしゃって」

みたいなところまで書いていると、「あ、ちゃんと見てくれたんだな」と思って、最後まで話を聞こうかなと思うわけですよね。

どれだけDMを毎日大量に送ろうとも、コピペしてとにかく数をこなそうとすれば、それはただ時間の無駄です。最後まで読んでもらえなければ意味がないのです。

一人でもいいからちゃんと最後まで読んでもらえることが大事なのです。

これからDMを送る相手の投稿をチェックするのは、2～3分あればできることです。**2～3分でいいからきちんとフィードを見て、その内容に対して自分がどう思ったか感想を述べる**のです。

運用代行の案件を取りたくてDMを送っているのであれば、具体的なサービスをDMの中で提案してください。

DMを受け取る人の気持ちになって、「どういう人の話だったら聞いてくれるかな」と考え抜くことです。

もちろん、**数を打つというのは前提**としてあります。

1人に送るだけより100人に送ったほうがいいのは当たり

前です。

しかも、営業なんてほとんど断られるものです。

「10人送って5人から返事が来ます」みたいなことはほぼありません。**10%でも返信があればいいほうです**。

とにかく数を打つというのは、基本の話です。そのうえで、コピペをしてただ送っても意味がないので、ちゃんと一人一人と向き合いましょうという話です。

1件取れれば、そこから紹介で広がっていく可能性があるわけですから、最初はそこには心血を注いでいいでしょう。

私がSNS運用の仕事を始めた2020年ごろはまだ発信者がそんなにいなかったので、向こうから問い合わせが来ることもありました。

しかし当時と状況は異なり、今は発信者もビジネス目的での運用者も増えてきているため、**ただじっと待っているだけで案件が取れるということは基本的にはない**と思って、自発的に行動を起こしたほうがいいでしょう。

③リアル営業

「リアル営業って誰にすればいいの？」と疑問に思うかもしれませんが、**行きつけの理容室、ネイルサロン、マツエクサロンなどで施術してもらっている間の施術者とお話するタイミングを活用してください**。

普段のサロンが自然と営業場所になり、自分がサービスを受けに行っているにもかかわらず、仕事の獲得につながることもあるのです。

髪の毛を切ってもらいながら、ネイルをしてもらいながらのタイミングで、「実は最近SNSの運用代行の勉強を始めて、仕事にし始めたんですよね」などと話すと、「もしよければうちのお店を手伝ってくれませんか？」という反応が返ってくることがあります。

それも一度や二度ではなく、結構な頻度でそういった反応をいただけます。

特にサロン系は、SNS運用に困っている方々が本当に多いと感じます。

というのも、サロンというのはお客様にサービスを提供するのが本業で、そのサービスの対価でお金を稼いでいますよね。

集客のためにSNS運用は欠かせないのですが、そこに割くリソースも専門的知識もない場合がほとんどです。

サロンオーナーは売上アップのために集客を強化したいという考えがあるため、できればSNS運用を外注したいと考えている人が大勢います。

普段ご自身が通っているサロンなどで「自分はこんな仕事

SNS運用

をしている」と口に出して言ってみることはとても大事なことです。

もし「今は大丈夫」という返答だったとしても、サロン同士でのつながりによってほかのお店や人を紹介してもらうこともあり得ます。

私が教えていた講座生で、SNS 運用のコンサルをして月に150 万円稼いでいるシングルマザーさんがいます。もちろん一人で活動しています。
その人が何をしていたかというと、SNS を学び始めてすぐに自分の名刺を作って、行く先々でとにかく配りまくっていたそうです。

やはり、そうやって**動く人が稼げる**のだなと思いました。
在宅でできる、スマホでできるといっても、ただ待ちの姿勢をとっているだけでは数字はついてきません。

Instagram をやるのはタダなので、あとはもう“**やるか、めっちゃやるか**”だけです。

名刺は 2,000 円あれば 100 枚作ることができます。
行く先々で、飲食店でも美容室でもとにかく配りまくってください。

ほかには、経営者が集まる会に参加するのも狙い目です。
商工会議所などで、中小企業でビジネスをやっている経営者が集まる会が開催されています。

自ら足を運んでそこで直接交流して仕事を獲得する方法が、実は一番手堅かったりします。

④紹介

リアル営業の話にも関連していますが、営業をして「今は必要ない」と言われても、お店同士、経営者同士でのつながりがあるため、「○○さんという人がSNS運用の仕事をしてるって聞いたから、紹介してあげるよ」とつないでもらえることがよくあります。

私自身、今はもうSNS運用代行事業に関しては自分から営業をかけることは一切なく、完全に紹介のみでお仕事をいただいています。
最初につながって担当させていただいたクライアントが紹介してくれたことをきっかけに次々と紹介が来るようになり、むしろ紹介が来すぎてお断りしないといけないくらいになってしまいました。

一人のクライアントときちんと信頼を構築できれば、自然と紹介で仕事が舞い込んでくるようになります。

人は、いいサービスであれば他の人にも教えてあげたいと思うものなのです。

SNS運用代行は今、市場として本当に需要があるお仕事です。

ご依頼いただいた仕事に対して誠心誠意取り組んで結果を出すことで、信頼は積み上がっていきます。

そうすると、自分から営業をかけなくても紹介だけでどんどん案件が来るようになります。

案件が来すぎて困るので、いただいたお仕事をほかの信頼できる仲間や講座生に渡すこともあります。

軌道に乗れば、そうした紹介料だけで収入を得ていけるという側面もあります。

また、自分のクライアントだけではなく、仕事を斡旋してくれるコミュニティに所属することでも案件を獲得できます。

自分で営業しなくても、コミュニティからの斡旋によって仕事をもらえると楽ですよね。

「仕事が取れすぎて困っているので、この案件をやってくれる人いませんか？」というふうに、お互いに助け合いながら仕事を進めていけるのです。

おわりに

私は今までにSNS運用の講座で1,500人以上の受講生を見てきましたが、大きく成功する人はほんの一部であり、低迷してしまう人が多いのも事実です。

そういう人たちを見ていて、何が足りないのかなとずっと考えてきた結果、やはり**マインドセットが圧倒的に不安定**なんだという答えにたどり着きました。

知識やノウハウは同じことを教えているのにもかかわらず、成功する人としない人が出てきてしまうのは、**自分と向き合う時間が足りているかいないか、マインドセットができているかいないかの違い**だったのです。

まずはマインドセットと自己理解から始めよう

多くの人は**取り組む順番が逆**なのだと感じます。

お金を稼ぎたいからと、すぐにマネタイズできそうな濃いノウハウを学ぶのです。

それが悪いわけではないのですが、マインドセットという土台が整っていないため、**豆腐の上に立派な家を建てようと**

してもすぐに崩れてしまうように、せっかく素晴らしいノウハウを学んでも、何かを生み出す前にへこたれてしまい、時間もお金も無駄にして終わってしまいます。

失敗してしまう人に圧倒的に不足しているのは自己理解です。自分のこともよく分からないのに、ビジネスが上手くいくはずはありません。

これは、**操作方法がわからない乗り物に乗って目的地に行こうとしているようなもの**です。

どこのボタンを押したらどの方法に進むのか、どこにガソリンを入れる部分があって、そのガソリンはハイオクなのか軽油なのか、どうやって休ませるか、どこに修理を出したらいいか分かっていない状態で、目的地だけを設定して出発するから上手くいかないのです。冷静に考えたら当たり前ですよね。

常に前進し続けることだけが自分を助けてくれる

本書では、**SNS運用を成功させるためのマインド、そして具体的なノウハウ**を惜しみなくお伝えしてきました。

とはいえ、あなたがこの本を読んでいる間にも、私は日々新しい情報を取り入れてアップデートし続けているため、お伝えしたいこと、お手伝いできることはまだまだあります。

一人で行動することの大変さは私自身が誰よりもよく理解しています。ですので、もし私のサポートが必要な場合は何かお手伝いできたらと思っています。

受講生からは、**「SNSでのお仕事は30年後、50年後も一生稼ぎ続けられるのでしょうか？」**というご質問をよくいただきます。

残念ながら、それは断言できません。

むしろ、いずれはSNSやスマホのデバイス自体もなくなるといわれています。一生稼ぎ続けたいと思っても、それは**ほぼ不可能である**と思っておいたほうがいいでしょう。

SNSを使って収入を得る方法を身につけても、それに一生しがみついたり、保証を求めるのはマインドセットとして正しくありません。

そもそもの話、これから先数十年後も続くことが保証されている仕事なんてありません。

どの仕事なら安定しているとか、どの会社に就職したから安泰というのは誰にも断言できないでしょう。

私が思う安定した働き方の唯一の条件は、
“常に前進し続けること”
これ一択なのです。

本書でお伝えしてきたのは**マーケティングの本質の部分**です。これが理解できていれば、たとえInstagramでなくても別の媒体でも同じ考え方で結果を残すことができます。

さらにこの先SNSがなくなったり、スマホがなくなったりしても一生お金を生み出していける普遍的なスキルです。

ですので、本書を何度も読み返すことで皆さまの一生のバイブルにしていただけたら、これほど嬉しいことはありません。

河田美帆

【著者紹介】

河田美帆（かわだ・みほ）

株式会社シングル　代表取締役

1987年大阪生まれ。
同志社大学卒業後、大手企業の就職を経て、ヨガインストラクターとして小さく起業。その後結婚し、一人息子を出産。息子が2歳のときにシングルマザーに。ヨガの仕事でなんとか食いつなぐも、生活は困窮を極めていた。追い打ちをかけるように、2020年3月の新型コロナウイルス感染症の流行によりあえなく廃業。収入なし、貯金なし、子どもの預け先なしの絶体絶命状態に陥り、「息子を自宅保育しながらでも、家から一歩も出ずにお金を稼ぐスキルを身につけないと生きていけない」と一念発起。苦手意識しかなかったSNS運用を学び始める。その後、SNSクリエイター資格講座に入学。資格を取得し、SNS運用代行業を開始。事業開始1年で法人化、月商1000万円超を達成。

「もっと多くのママが、かけがえのないお子さんとの時間を大切に、自宅にいながら社会的に活躍し、誰にも依存せず自立できる経済力を身につけてほしい」という想いのもと、SNS運用を教える講座を複数運営。現在は、自身が短期間でビジネスを成功に導いた最も大きな要因である脳科学・量子力学に基づいた引き寄せマインドを発信するとともに、ママ向けにデザインした講座の代表も務める。

河田美帆　Instagramアカウント
https://www.instagram.com/miiko__spirit

自分の日常が仕事になる

ゼロから始める SNS副業

2024年 1 月22日　初版発行

著　者　河田美帆
発行者　野村直克
発行所　総合法令出版株式会社
〒103-0001 東京都中央区日本橋小伝馬町 15-18
EDGE 小伝馬町ビル 9 階
電話　03-5623-5121
印刷・製本　中央精版印刷株式会社

落丁・乱丁本はお取替えいたします。

ISBN 978-4-86280-928-5

総合法令出版ホームページ　http://www.horei.com/